「월간 내로라」 시리즈는

원서를 나란히 담고 있습니다.

단숨에 읽고 깊어지시길 바랍니다.

"To cease to love–that is defeat."

Susan Glaspell

"사랑하기를 멈추는 것.

그것이야말로 패배하는 것이다."

수잔 글래스펠

마음의 연대

깊이를 더하는 글

마음의 연대

수잔 글래스펠

bluefairy 정지은 <마음의연대> 2021 mixed media 51.5x72.8cm

제 1 장
미니 포스터

When Martha Hale opened the storm-door and got a cut of the north wind, she ran back for her big woolen scarf. As she hurriedly wound that round her head her eye made a scandalized sweep of her kitchen. It was no ordinary thing that called her away--it was probably further from ordinary than anything that had ever happened in Dickson County. But what her eye took in was that her kitchen was in no shape for leaving: her bread all ready for mixing, half the flour sifted and half unsifted.

She hated to see things half done; but she had been at that when the team from town stopped to get Mr.

마사 헤일이 중문을 열자 부쩍 차가워진 바람이 옷 속으로 파고들었다. 문을 열었던 손을 놓고 집안으로 뛰어 들어가 울 스카프를 둘러맨 뒤, 심란한 표정으로 부엌을 돌아보았다. 일반적인 이유로 집을 나서게 된 것이 아니라고는 하지만, 엄밀히 말하자면 이곳 딕슨 카운티에서는 좀처럼 일어나지 않았던 특수한 사건 때문에 갑작스럽게 집을 비우게 된 것이지만, 아무리 그래도 집은 그대로 두고 나갈 수 있는 상태가 아니었다. 빵을 반죽하던 중이었던지라 반쯤 체에 친 밀가루가 부엌에 그대로 방치되어 있었던 것이다.

한번 시작한 일은 반드시 끝을 봐야 직성이 풀리는 편이었다. 그러나 조금 전, 마을 보안관인 피터스가 들이닥쳐 남편인 루이스뿐만 아니라 자신까지 동행해줄 것을 요구했다. 피터스

Hale, and then the sheriff came running in to say his wife wished Mrs. Hale would come too--adding, with a grin, that he guessed she was getting scary and wanted another woman along. So she had dropped everything right where it was.

"Martha!" now came her husband's impatient voice. "Don't keep folks waiting out here in the cold."

She again opened the storm-door, and this time joined the three men and the one woman waiting for her in the big two-seated buggy.

After she had the robes tucked around her she took another look at the woman who sat beside her on the back seat. She had met Mrs. Peters the year before at the county fair, and the thing she remembered about her was that she didn't seem like a sheriff's wife. She was small and thin and didn't have a strong voice. Mrs. Gorman, sheriff's wife before Gorman went out and Peters came in,

보안관은 아내가 겁이 나는지 같은 여자 한 명이 함께해주기를 바라고 있다며 서글서글한 말투로 설명했다. 그런 이유로, 마사 헤일은 모든 일을 제쳐두고 당장에 따라나설 수밖에 없게 된 것이다.

"마사! 서둘러!"

루이스 헤일의 다급한 목소리가 들려왔다.

"다들 추운 데서 기다리시잖아!"

서둘러 현관을 열고 나가니, 앞자리에 남자 셋과 뒷자리에 여자 하나를 태운 마차가 기다리고 있었다.

뒷자리에 올라탄 마사 헤일은 찬바람이 새어 들어오지 않도록 옷깃을 여민 뒤 옆자리의 피터스 부인을 바라보았다. 일 년 전 지역사회의 모임에서 인사를 나눈 적이 있었지만, 아무리 기억을 더듬어 보아도 보안관의 아내로는 보이지 않는다고 생각했던 것 말고는 생각나는 특징이 없었다. 피터스 부인은 키가 작고 왜소하며 목소리도 흐릿했다. 피터스 보안관 이전에 근무하던 고먼 보안관의 부인은 목소리부터 우렁차고 힘이 있어서 그 말이 곧 법이고 규칙인 것처럼 느껴졌었기에 더욱 비교되었

had a voice that somehow seemed to be backing up the law with every word. But if Mrs. Peters didn't look like a sheriff's wife, Peters made it up in looking like a sheriff. He was to a dot the kind of man who could get himself elected sheriff--a heavy man with a big voice, who was particularly genial with the law-abiding, as if to make it plain that he knew the difference between criminals and non-criminals. And right there it came into Mrs. Hale's mind, with a stab, that this man who was so pleasant and lively with all of them was going to the Wrights' now as a sheriff.

"The country's not very pleasant this time of year," Mrs. Peters at last ventured, as if she felt they ought to be talking as well as the men.

Mrs. Hale scarcely finished her reply, for they had gone up a little hill and could see the Wright place now, and seeing it did not make her feel like talking.

다. 아내와 다르게 피터스 보안관은 한눈에도 보안관처럼 보이는 남자였다. 몸집도 커다랗고 목소리도 굵어서 어디에서든 보안관으로 선출될 것 같이 보였다. 게다가 평범한 시민들에게는 친절하게 대하며 마치 자신이 선인과 악인을 꿰뚫어 볼 수 있다는 듯이 행동하기도 했다. 생각이 거기까지 미치자, 마사 헤일의 가슴이 덜컥 내려앉았다. 자신들에게는 친절한 그 피터스 씨가, 지금은 보안관으로서 라이트 부부의 집을 찾아가고 있다는 사실을 새삼 깨달은 것이다.

그때 피터스 부인이 말을 걸어왔다.

"날씨가 상당히 추워졌네요."

피터스 부인은 마치 여자들도 남자들이 하는 것처럼 잡담을 나누어야 한다고 생각한 것 같았다.

마사 헤일은 대답하기 위해 입을 열었지만, 그 순간 마차가 작은 언덕을 넘으며 저 멀리에 있는 라이트 부부의 집이 눈에 들어왔기에 대화를 나누고 싶은 마음이 사라졌다. 그래서 대답을 흐리고는 그저 입을 다물었다.

라이트 부부의 집은 유난히 쓸쓸하게 보였다. 유달리 추운

It looked very lonesome this cold March morning. It had always been a lonesome-looking place. It was down in a hollow, and the poplar trees around it were lonesome-looking trees.

The men were looking at it and talking about what had happened. The county attorney was bending to one side of the buggy, and kept looking steadily at the place as they drew up to it.

"I'm glad you came with me," Mrs. Peters said nervously, as the two women were about to follow the men in through the kitchen door.

Even after she had her foot on the door-step, her hand on the knob, Martha Hale had a moment of feeling she could not cross that threshold. And the reason it seemed she couldn't cross it now was simply because she hadn't crossed it before.

Time and time again it had been in her mind, "I ought

3월의 아침이라서 그럴거라고 다른 이들은 생각하겠지만, 저 집은 언제나 저토록 음산하게 보인다고 마사 헤일은 생각했다. 외따로 떨어져 있는 집이기도 했고, 집을 둘러싼 미루나무도 무척이나 음침한 모습이었으니까.

남자들 역시 집을 바라보며 무슨 일이 일어났는지에 관해서 이야기하고 있었다. 헨더슨 검사는 집 앞에 도착할 때까지 몸을 마차 바깥쪽으로 빼고 목적지를 가만히 응시했다.

"함께 와주셔서 고마워요."

피터스 부인은 기어들어 가는 작은 목소리로 인사를 건네고는 남자들을 뒤따라 부엌으로 연결된 문을 통해 들어갔다.

하지만 헤일 부인은 도저히 들어갈 수가 없었다. 손잡이를 잡고 한 걸음을 떼는 순간까지도 문지방을 넘을 수 없을 거라는 생각이 머릿속을 가득 채웠다. 이유는 단순했다. 이 집에는 단 한 번도 들어가 본 적이 없었으니까.

미니 포스터를 찾아가 봐야 하는데, 라고 종종 생각했다. 미니 포스터가 존 라이트와 결혼하여 라이트 부인이 된 지 이십 년도 더 지났지만, 마음속으로는 여전히 결혼 전 이름으로

to go over and see Minnie Foster"--she still thought of her as Minnie Foster, though for twenty years she had been Mrs. Wright. And then there was always something to do and Minnie Foster would go from her mind. But now she could come.

부르며 이따금 떠올렸었다. 그러나 언제나 당장에 해결해야 하는 집안일이 가득했고, 도무지 시간을 낼 수가 없었다. 그러다 보니 미니 포스터를 찾아가 봐야겠다는 생각은 쉽게 잊혔었다. 그렇게 오랜 세월이 흘러 지금에야 이런 일로 찾아오게 된 것이다.

제 2 장
목에 밧줄을 두르고

The men went over to the stove. The women stood close together by the door. Young Henderson, the county attorney, turned around and said, "Come up to the fire, ladies." Mrs. Peters took a step forward, then stopped. "I'm not--cold," she said.

And so the two women stood by the door, at first not even so much as looking around the kitchen.

The men talked for a minute about what a good thing it was the sheriff had sent his deputy out that morning to make a fire for them, and then Sheriff Peters stepped back from the stove, unbuttoned his outer coat, and leaned his hands on the kitchen table in a way that

남자들은 곧장 따뜻한 화덕 앞으로 모여들었다. 반면 여자들은 쉽게 걸음을 옮기지 못하고 문 앞에 딱 붙어 서 있기만 했다. 그 모습에 젊은 헨더슨 검사가 말했다.

"부인들, 불 쪽으로 더 가까이 오시죠."

젊은 검사의 말에 피터스 부인은 반사적으로 화덕 쪽으로 몇 걸음 다가가며 순종하다가, 이내 갑자기 멈춰서서 거절했다.

"아… 저는 괜찮아요."

두 여자는 문 앞에 자리를 잡았다. 주방에는 시선을 두지도 못했다. 그동안 남자들은 화덕의 온기에 몸을 녹이며 피터스 보안관이 아침 일찍 조수를 보내 불을 피워놓길 잘했다고 이야기를 나누었다. 잠시 후, 피터스 보안관은 코트의 단추를 풀며 식탁을 향해 걸어갔다. 식탁 위에 손을 올리고, 공식적인 업무

seemed to mark the beginning of official business. "Now, Mr. Hale," he said in a sort of semi-official voice, "before we move things about, you tell Mr. Henderson just what it was you saw when you came here yesterday morning."

The county attorney was looking around the kitchen.

"By the way," he said, "has anything been moved?" He turned to the sheriff. "Are things just as you left them yesterday?"

Peters looked from cupboard to sink; from that to a small worn rocker a little to one side of the kitchen table.

"It's just the same."

"Somebody should have been left here yesterday," said the county attorney.

"Oh--yesterday," returned the sheriff, with a little gesture as of yesterday having been more than he could bear to think of. "When I had to send Frank to Morris Center for that man who went crazy--let me tell you. I

의 시작을 알리려는 듯 목소리를 가다듬고 입을 열었다.

"본격적인 수사에 들어가기 전에, 헤일 씨. 어제 아침 이 집에서 무엇을 보았는지 헨더슨 검사에게 이야기해주게."

헨더슨 검사는 천천히 부엌을 둘러보았다.

"잠시만요. 그 전에 하나만 여쭤보겠습니다. 사건 현장은 당시 그대로 보존된 거겠죠? 당연히 아무도 아무것도 건드리지 않으셨겠죠?"

피터스 보안관은 눈으로 부엌을 훑었다. 그릇장에서 싱크대를 지나 작은 흔들의자, 그리고 그 옆의 식탁까지 시선이 서서히 옮겨졌다.

"그대로인 것 같군."

"적어도 한 명이 현장을 지켰으면 좋았을 테지만요."

"아, 어제 말이지."

헨더슨 검사의 말에 피터스 보안관은 생각하기도 싫다는 듯 몸을 부르르 떨었다.

"어제는 정말 일이 많았네. 어떤 놈이 난동을 부리는 바람에 프랭크를 모리스 센터로 보내야 했어. 오늘쯤은 조지 자네가

had my hands full yesterday. I knew you could get back from Omaha by today, George, and as long as I went over everything here myself--"

"Well, Mr. Hale," said the county attorney, in a way of letting what was past and gone go, "tell just what happened when you came here yesterday morning."

Mrs. Hale, still leaning against the door, had that sinking feeling of the mother whose child is about to speak a piece. Lewis often wandered along and got things mixed up in a story. She hoped he would tell this straight and plain, and not say unnecessary things that would just make things harder for Minnie Foster. He didn't begin at once, and she noticed that he looked queer--as if standing in that kitchen and having to tell what he had seen there yesterday morning made him almost sick.

"Yes, Mr. Hale?" the county attorney reminded.

"Harry and I had started to town with a load of

오마하에서 돌아올 거라고 예상하고 있었지만, 그래도 어제까지는 내가 모든 것을 살펴봐야 했으니 일이 너무 많았다고-"

"뭐, 알겠습니다. 그 이야기는 넘어가죠."

헨더슨 검사는 어쩔 수 없다는 듯 피터스 보안관의 말을 끊고는 다시 헤일에게 집중했다.

"이제 어제 아침에 이야기를 들어볼까요? 헤일 씨?"

남편이 지목되자 문가에 서 있던 헤일 부인은 뱃속이 울렁거렸다. 마치 발표회를 앞둔 아이를 바라보는 것 같은 기분이었다. 남편은 이야기할 때면 상관없는 주제로 곧잘 빠지기도 하고, 이런저런 이야기를 뒤죽박죽 섞어놓기도 했다. 제발 있는 그대로의 이야기만 하라고, 불필요한 이야기를 덧붙여서 미니 포스터의 상황을 악화시키지 말아 달라고, 헤일 부인은 마음으로 기도했다. 루이스 헤일은 쉽게 입을 열지 못했다. 부인은 남편의 상태가 좋지 않다는 것을 눈치챘다. 마치 어제 일을 이야기해야 한다는 사실에 속이 메스꺼워진 것 같았다.

"헤일 씨?"

헨더슨 검사의 재촉에 헤일은 어렵게 이야기를 시작했다.

potatoes," Mrs. Hale's husband began.

Harry was Mrs. Hale's oldest boy. He wasn't with them now, for the very good reason that those potatoes never got to town yesterday and he was taking them this morning, so he hadn't been home when the sheriff stopped to say he wanted Mr. Hale to come over to the Wright place and tell the county attorney his story there, where he could point it all out. With all Mrs. Hale's other emotions came the fear now that maybe Harry wasn't dressed warm enough--they hadn't any of them realized how that north wind did bite.

"We come along this road," Hale was going on, with a motion of his hand to the road over which they had just come, "and as we got in sight of the house I says to Harry, 'I'm goin' to see if I can't get John Wright to take a telephone.' You see," he explained to Henderson, "unless I can get somebody to go in with me they won't come

"해리와 저는 감자를 배달하기 위해 도시로 향하려던 길이었습니다."

헤일 부부의 큰아들인 해리는 오늘 이 자리에 함께하지 못했다. 사건 때문에 어제 배달을 완료하지 못했기에 감자를 그대로 싣고 새벽부터 도시로 떠났고, 피터스 보안관이 집으로 찾아왔을 때 이미 집에 없었던 것이다. 때문에 라이트 부부의 집으로 동행하여 목격한 것을 상세히 설명해달라는 보안관의 요청에 함께 응할 수가 없었다.

헤일 부인은 갑자기 도시로 떠난 해리에게 두꺼운 옷을 챙겨주지 못한 것이 생각나서 마음이 불안해졌다. 하룻밤 사이에 날씨가 이렇게나 추워질 줄은 몰랐다.

"저기 보이는 길을 지나가고 있었습니다."

헤일 씨는 자신들이 지나온 길을 손으로 가리켰다.

"집이 보일 때 즈음 저는 아들에게 존 라이트가 전화를 놓을 생각이 있는지 물어봐야겠다고 말하며 방향을 틀었습니다. 검사님도 아시는지 모르겠습니다만, 몇 집이 함께 전화를 놓지 않는 이상 전화선을 깔아주지 않거든요. 그렇지 않으면 감당할

out this branch road except for a price I can't pay. I'd spoke to Wright about it once before; but he put me off, saying folks talked too much anyway, and all he asked was peace and quiet--guess you know about how much he talked himself. But I thought maybe if I went to the house and talked about it before his wife, and said all the women-folks liked the telephones, and that in this lonesome stretch of road it would be a good thing--well, I said to Harry that that was what I was going to say-- though I said at the same time that I didn't know as what his wife wanted made much difference to John--"

Now there he was!--saying things he didn't need to say. Mrs. Hale tried to catch her husband's eye, but fortunately the county attorney interrupted with:

"Let's talk about that a little later, Mr. Hale. I do want to talk about that but, I'm anxious now to get along to just what happened when you got here."

수 없을 만큼의 돈을 내야 하지요. 예전에 존 라이트에게 함께 전화를 놓자고 이야기한 적이 있는데, 단칼에 거절했었습니다. 전화가 없는 지금도 이미 너무 많은 사람들의 이야기를 듣고 있다고 말이죠. 자신이 원하는 것은 평화와 고요뿐이라던가. 어쨌든, 그래도 집으로 찾아가 설득하면 생각이 좀 달라질까 싶어 다시 이야기해보려고 했습니다. 집에는 라이트 부인이 있을 거고, 여자들은 전화라면 무조건 좋아하니까요. 이런 외딴곳에 살려면 전화가 꼭 필요할 거라고 부인을 설득해볼 생각이었습니다. 하지만 큰 기대는 품지 말자고 해리에게도 이야기했습니다. 부인 알기를 우습게 아는 사람인 건 뭐 익히 알고 있었으니, 부인이 말을 해봤자 귓등으로도 듣지 않을—”

'저, 봐! 쓸데없는 말을 하잖아?!'

헤일 부인은 두 눈을 부릅뜨고 신호를 보내려고 애썼다. 신호는 도달하지 못했지만, 다행히도 헨더슨 검사가 말을 끊었다.

"그런 중요하지 않은 이야기는 나중에 듣도록 하죠, 헤일 씨. 듣고 싶지 않다는 것은 아닙니다. 다만 지금은 이 중대한 사건에 대해서 듣는 것이 더 중요할 것 같군요."

When he began this time, it was very deliberately and carefully:

"I didn't see or hear anything. I knocked at the door. And still it was all quiet inside. I knew they must be up-- it was past eight o'clock. So I knocked again, louder, and I thought I heard somebody say, 'Come in.' I wasn't sure- -I'm not sure yet. But I opened the door--this door," jerking a hand toward the door by which the two women stood. "and there, in that rocker"--pointing to it--"sat Mrs. Wright."

Everyone in the kitchen looked at the rocker. It came into Mrs. Hale's mind that that rocker didn't look in the least like Minnie Foster--the Minnie Foster of twenty years before. It was a dingy red, with wooden rungs up the back, and the middle rung was gone, and the chair sagged to one side.

"How did she--look?" the county attorney was

루이스 헤일은 더 신중하고 조심스럽게 이야기를 이어갔다.

"집 안은 컴컴했고 아무런 소리도 들리지 않았습니다. 저는 문을 두드렸습니다. 아무런 대답이 없더군요. 그때가 벌써 여덟 시도 넘은 시간이었으니 자고 있지는 않을 것으로 생각했습니다. 그래서 문을 더 세게 두드렸고, 잠시 후 '들어와요'라는 소리를 들은 것 같은데, 확실하게는 잘 모르겠습니다. 하지만 일단 문을 열었습니다. 바로 이 문 말입니다."

루이스 헤일은 두 여자가 기대 있는 문을 가리키고는, 다시 반대편의 흔들의자를 가리켰다.

"저기. 저 흔들의자에, 라이트 부인이 앉아있었습니다."

모두의 시선이 흔들의자로 모여들었다. 미니 포스터가 저 의자에 앉아있는 모습이 그려지지 않는다고 헤일 부인은 생각했다. 적어도 이십 년 전의 미니 포스터와는 어울리지 않는 의자였다. 색깔부터 칙칙하고 거무죽죽하게 붉은 의자는 매우 낡았기 때문이었다. 나무로 된 등받이 세 개 중 중간 하나는 떨어져 나가 있었으며, 쿠션은 앉을 수 없을 만큼 푹 꺼져 있었다.

"부인은 어때 보였나요?"

inquiring.

"Well," said Hale, "she looked--queer."

"How do you mean--queer?"

As he asked it he took out a note-book and pencil. Mrs. Hale did not like the sight of that pencil. She kept her eye fixed on her husband, as if to keep him from saying unnecessary things that would go into that note-book and make trouble. Hale did speak guardedly, as if the pencil had affected him too.

"Well, as if she didn't know what she was going to do next. And kind of--done up."

"How did she seem to feel about your coming?"

"Why, I don't think she minded--one way or other. She didn't pay much attention. I said, 'Ho' do, Mrs. Wright? It's cold, ain't it?' And she said. 'Is it?'--and went on pleatin' at her apron.

"Well, I was surprised. She didn't ask me to come up

"상태가… 좋지는 않았습니다."

"좋지는 않았다니, 그건 무슨 의미죠?"

헨더슨 검사는 질문을 던지며 노트와 연필을 꺼내 들었다. 헤일 부인은 그 연필이 매우 신경에 거슬렸다. 마치 저 연필이 언젠가 남편의 말을 노트에 옮겨 큰 문제를 만들 것을 직감이라도 한 것처럼, 부인은 남편에게로 시선을 고정했다. 루이스 헤일 역시, 필기도구의 존재를 의식하는 것처럼 더욱 신중하게 말을 이었다.

"무엇을 해야 할지 모르는 사람처럼 보였습니다. 약간, 녹초가 된 것 같기도 했고요."

"당신이 들어온 것에 대해서는 어떻게 반응하던가요?"

"아무런 상관을 하지 않는 것처럼 보였습니다. 신경을 쓰지 않았어요. 제가 '안녕하세요, 라이트 부인. 오늘 날씨가 좀 춥네요. 그렇죠?'라고 인사를 건넸더니 부인은 앞치마를 만지작거리며 짧게 답했습니다.

'그런가요?'

사실 좀 놀랐습니다. 화덕 가까이에 앉으라는 안주인으로

to the stove, or to sit down, but just set there, not even lookin' at me. And so I said: 'I want to see John.'

"And then she--laughed. I guess you would call it a laugh.

"I thought of Harry and the team outside, so I said, a little sharp, 'Can I see John?' 'No,' says she--kind of dull like. 'Ain't he home?' says I. Then she looked at me. 'Yes,' says she, 'he's home.' 'Then why can't I see him?' I asked her, out of patience with her now. 'Cause he's dead' says she, just as quiet and dull--and fell to pleatin' her apron. 'Dead?' says, I, like you do when you can't take in what you've heard.

"She just nodded her head, not getting a bit excited, but rockin' back and forth.

"'Why--where is he?' says I, not knowing what to say.

"She just pointed upstairs--like this"--pointing to the room above.

서 건네야 마땅한 인사가 전혀 없었고, 저를 쳐다보지도 않고 그저 앉아만 있었거든요. 그래서 저는 '존을 만나러 왔습니다.'라고 했고, 그 말에 부인은…… 웃었습니다. 아, 뭐. 굳이 표현하자면 웃음이라고 말할 수 있을 것 같습니다. 저는 마차에서 떨고 있을 해리가 생각나서 '존과 대화를 나누러 왔다고요!'라고 재촉했고, 라이트 부인은 아주 낮고 어두운 음색으로 '힘들 걸요'하고 답했습니다. 그래서 '존이 집에 없나요?'라고 물었더니, 그제야 저를 똑바로 바라보며 '있긴 하죠.'라고 말했습니다. 저는 최대한 인내하며 '그렇다면 좀 불러주시죠!'라고 요청했는데, 거기에 부인은 아주 차분하고 어두운 음색으로 대답했습니다.

'죽었어요.'

죽었다니. 그 말이 처음에는 받아들여지지 않아서 저는 그저 멍청하게 부인을 바라보았습니다. 부인은 아무런 표정 없이 흔들의자를 구르고 있었습니다. 무슨 말이라도 해야겠다는 생각에 저는 존 라이트가 어디에 있는지 물었고, 부인은 말없이 손가락을 들어 위층으로 가는 계단을, 그리고 이 층 방을 가리

"I got up, with the idea of going up there myself. By this time I--didn't know what to do. I walked from there to here; then I says: 'Why, what did he die of?'

"'He died of a rope around his neck,' says she; and just went on pleatin' at her apron."

Hale stopped speaking, and stood staring at the rocker, as if he were still seeing the woman who had sat there the morning before. Nobody spoke; it was as if every one were seeing the woman who had sat there the morning before.

"And what did you do then?" the county attorney at last broke the silence.

"I went out and called Harry. I thought I might--need help. I got Harry in, and we went upstairs." His voice fell almost to a whisper. "There he was--lying over the--"

"I think I'd rather have you go into that upstairs," the county attorney interrupted, "where you can point it all

겼습니다. 이층으로 올라가 보려고 했지만 막상 발걸음을 옮기려니 막막하더군요. 그래서 여기서부터 저기까지 걸어가면서 존 라이트가 어떻게 죽었는지 물었습니다.

'목에 밧줄이 감겨서요.'

그때도 부인은 여전히 마치 감정을 잃어버린 사람처럼 앉아 앞치마만 만지작거리고 있었습니다."

말을 멈춘 루이스 헤일은 마치 전날 아침 의자에 앉아 있던 여인의 모습이 보이는 것처럼 흔들의자를 응시했다. 정적이 이어졌다. 마치 그의 눈에 비친 여인이 다른 사람에게도 보이는 것처럼, 모두의 시선이 일제히 그 의자에 고정되었다. 정적을 깨트린 것은 헨더슨 검사였다.

"그리고는 뭘 했습니까?"

"해리를 불러들였죠. 혼자서는……. 처리하기 힘든 일이 생길지도 모르니까요. 그래서 함께 위층으로 올라갔습니다."

루이스 헤일의 목소리가 혼자서 읊조리는 것처럼 작아졌다.

"위층……. 침대에……. 누워 있더라고요. 그 모습이……."

"잠깐만요. 어떤 상태였는지는 위층에 가서 위치를 정확히

41

out. Just go on now with the rest of the story."

"Well, my first thought was to get that rope off. It looked--" He stopped, his face twitching.

"But Harry, he went up to him, and he said. 'No, he's dead all right, and we'd better not touch anything.' So we went downstairs.

"She was still sitting that same way. 'Has anybody been notified?' I asked. 'No, says she, unconcerned.

"'Who did this, Mrs. Wright?' said Harry. He said it businesslike, and she stopped pleatin' at her apron. 'I don't know,' she says. 'You don't know?' says Harry. 'Weren't you sleepin' in the bed with him?' 'Yes,' says she, 'but I was on the inside. 'Somebody slipped a rope round his neck and strangled him, and you didn't wake up?' says Harry. 'I didn't wake up,' she said after him.

"We may have looked as if we didn't see how that could be, for after a minute she said, 'I sleep sound.'

짚어가며 듣도록 하죠. 나머지 이야기를 해주시면 좋겠습니다.”

"밧줄을 풀어야겠다고 생각했는데, 아무리 봐도 이미······.”

말을 멈춘 얼굴 근육이 파르르 떨렸다.

"해리가 가까이 다가가서 보더니, 이미 숨이 끊어졌다고, 그러니 만지지 말고 그대로 두자고 했습니다. 그래서 아래층으로 내려왔죠. 부인은 여전히 같은 자세로 앉아있었습니다. 누구에게라도 연락을 했는지 물었더니, 그저 무신경하게 답하더군요.

'아뇨.'

범인이 누군지 아냐고 해리가 사무적으로 물어보았더니 부인은 앞치마를 만지작거리던 손을 딱 멈추고는 '글쎄요.'라고 답했습니다. 한 침대 바로 옆자리에서 자고 있던 게 아니냐고 해리가 추궁하자 부인은 고요한 목소리로 말했습니다.

'맞아요. 하지만 제가 안쪽에서 잤거든요.'

누군가가 침입하여 남편의 목에 밧줄을 묶어서 목을 졸라 살해할 때까지 자고 있었다는 거냐고 다시 추궁하자 부인은 '네. 자고 있었어요.'라고 대답했고, 저희가 아무 말도 하지 않자 자신을 믿지 못한다고 생각했는지 부인이 덧붙였습니다.

"Harry was going to ask her more questions, but I said maybe that weren't our business; maybe we ought to let her tell her story first to the coroner or the sheriff. So Harry went fast as he could over to High Road--the Rivers' place, where there's a telephone."

"And what did she do when she knew you had gone for the coroner?" The attorney got his pencil in his hand all ready for writing.

"She moved from that chair to this one over here"--Hale pointed to a small chair in the corner--"and just sat there with her hands held together and lookin down. I got a feeling that I ought to make some conversation, so I said I had come in to see if John wanted to put in a telephone; and at that she started to laugh, and then she stopped and looked at me--scared."

At the sound of a moving pencil the man who was telling the story looked up.

'깊게 잠드는 편이라서.'

해리는 질문을 더 하고 싶어 하는 눈치였지만, 괜히 저희가 끼어들 문제가 아니라고 생각했습니다. 아무래도 검시관님이나 보안관님께서 직접 듣고 판단을 하시는 게 좋지 않겠습니까. 그래서 해리를 하이로드에 있는 리버스 씨의 집으로 보냈습니다. 거기에 전화가 있거든요."

"검시관을 부른 것을 부인이 알게 된 후, 부인의 행동이 달라진 게 있습니까?"

검사는 연필을 꺼내 적극적으로 받아 적을 준비를 했다.

"저쪽 흔들의자에서 일어나 이쪽 의자로 자리를 옮겼습니다. 그리고는 두 손을 모으고 앉아 바닥만 응시했습니다. 저는 무슨 말이라도 해야 할 것 같아서, 혹시 존 라이트가 전화를 놓을 생각이 있는지 물어보려고 찾아왔다고 했더니, 부인은 갑자기 웃기 시작했습니다. 그러더니 웃음을 갑자기 뚝 그치고는, 저를 똑바로 바라보았습니다. 그때의 표정은 마치… 마치 겁에 질린 것 같았습니다."

사각사각, 연필이 무언가를 다급하게 적기 시작하는 소리에

"I dunno--maybe it wasn't scared," he hastened: "I wouldn't like to say it was. Soon Harry got back, and then Dr. Lloyd came, and you, Mr. Peters, and so I guess that's all I know that you don't."

He said that last with relief, and moved a little, as if relaxing. Everyone moved a little. The county attorney walked toward the stair door.

"I guess we'll go upstairs first--then out to the barn and around there."

He paused and looked around the kitchen.

"You're convinced there was nothing important here?" he asked the sheriff. "Nothing that would--point to any motive?"

The sheriff too looked all around, as if to re-convince himself.

"Nothing here but kitchen things," he said, with a little laugh for the insignificance of kitchen things.

헤일 씨는 말을 멈추고 시선을 들어 급히 덧붙였다.

"아니, 아니요. 지금 생각해보니 잘 모르겠습니다. 어떤 표정이었는지요. 겁먹은 표정이었는지 확신할 수 없습니다. 곧 해리가 돌아왔고, 로이드 박사님과 함께 피터스 보안관님이 오신 겁니다. 저만 아는 이야기는 여기까지인 것 같습니다."

루이스 헤일은 이야기를 모두 털어버려 후련한 것 같았다. 이야기를 끝낸 그가 몸을 일으키자, 듣고 있던 사람들도 경직되어 있던 몸을 움직였다. 헨더슨 검사는 계단을 향해 걸어갔다.

"흠, 일단은 위층으로 가봅시다. 그 후엔 헛간과 다른 곳을 둘러보죠."

마지막으로 헨더슨 검사는 부엌을 눈으로 훑으며 물었다.

"피터스 보안관. 여기에는 뭐 중요한 증거가 없다고 보십니까? 예를 들자면…… 사건의 동기를 설명할 증거라든지."

이에 피터스 보안관은 다시 한번 확인하듯 부엌을 눈으로 훑었다. 그리고는, 나쁜 의도가 하나도 없는 말투로 그저 웃으며 자신이 믿는 진실을 말했다.

"당연하지. 여긴 고작 부엌살림 따위밖에 없잖나."

제 3 장
사소한 것들

The county attorney was looking at the cupboard--a peculiar, ungainly structure, half closet and half cupboard, the upper part of it being built in the wall, and the lower part just the old-fashioned kitchen cupboard. As if its queerness attracted him, he got a chair and opened the upper part and looked in. After a moment he drew his hand away sticky.

"Here's a nice mess," he said resentfully.

The two women had drawn nearer, and now the sheriff's wife spoke.

"Oh--her fruit," she said, looking to Mrs. Hale for sympathetic understanding.

헨더슨 검사는 그릇장을 살펴보았다. 아주 오래된 것처럼 보이는 그릇장은 독특한 형식으로 되어 있었는데, 위쪽은 벽에 딱 붙는 유리장의 형태였고 아래쪽은 평범한 수납장이었다. 수상함을 느끼기라도 한 것처럼 헨더슨 검사는 수납장 앞으로 의자를 끌어와 올라갔다. 맨 위 칸에 손을 넣자, 온갖 끈적끈적한 것들이 달라붙었다.

"완전 엉망진창이군요."

투덜거리는 모습에 두 여자가 그릇장에 다가와 살펴보니 과일잼을 담은 유리병이 다 깨져 있었다.

"아……. 과일 잼이 결국은……!"

피터스 부인은 헤일 부인에게 동조를 구하는 눈길을 보내고는 남자들을 향해 돌아서서 설명했다.

She turned back to the county attorney and explained: "She worried about that when it turned so cold last night. She said the fire would go out and her jars might burst."

Mrs. Peters' husband broke into a laugh.

"Well, can you beat the women! Held for murder, and worrying about her preserves!"

The young attorney set his lips.

"I guess before we're through with her she may have something more serious than preserves to worry about."

"Oh, well," said Mrs. Hale's husband, with good-natured superiority, "women are used to worrying over trifles."

The two women moved a little closer together. Neither of them spoke. The county attorney seemed suddenly to remember his manners--and think of his future.

"And yet," said he, with the gallantry of a young politician. "for all their worries, what would we do

"어젯밤 날씨가 갑자기 추워져서 라이트 부인이 걱정했거든요. 집에 불을 지필 사람이 없으니까, 추위에 유리병이 얼어서 다 깨질 것 같다고요."

피터스 부인의 말에 피터스 보안관은 웃음을 터트렸다.

"하여간, 여자들이란! 살해 혐의로 감옥에 갈지 모르는 와중에 과일 잼을 걱정해? 못 말린다니까."

헨더슨 검사는 사뭇 진지한 표정으로 대답했다.

"여기 조사가 끝나고 나면 라이트 부인은 과일 잼보다 훨씬 더 심각한 문제에 관해서 고민해야 할 겁니다!"

하지만 헤일 씨가 아량 넓은 사람인 양 막아섰다.

"부인네들이 원래 그렇지 않습니까. 대수롭지 않은 것들을 걱정하는데 익숙한 거지요."

두 여자는 더욱 가까이 붙어 서서는 아무도 말도 하지 않았다. 그 모습에 젊은 검사는 자신의 미래를 위해 호감 가는 이미지를 만들기라도 하려는 것처럼 급히 덧붙였다.

"뭐, 어쨌든. 부인들의 그런 소소한 걱정들 덕분에 우리가 큰일을 할 수 있는 것 아니겠습니까? 하하."

without the ladies?"

The women did not speak, did not unbend. He went to the sink and began washing his hands. He turned to wipe them on the roller towel--whirled it for a cleaner place.

"Dirty towelsl Not much of a housekeeper, would you say, ladies?"

He kicked his foot against some dirty pans under the sink.

"There's a great deal of work to be done on a farm," said Mrs. Hale stiffly.

"To be sure. And yet"--with a little bow to her--'I know there are some Dickson County farm-houses that do not have such roller towels." He gave it a pull to expose its full length again.

"Those towels get dirty awful quick. Men's hands aren't always as clean as they might be.

"Ah, loyal to your sex, I see," he laughed. He stopped

그의 말은 젊은 정치가의 실없는 정중함 같았다.

두 여자가 여전히 아무 말도 없이 서 있는 동안, 검사는 싱크대로 가서 손을 씻었고, 옆에 걸린 수건에 손을 닦으려 했다. 하지만 깨끗한 부분을 찾을 수가 없었다.

"수건이 더럽네요. 제 역할을 충실히 해내는 주부는 아니었던가 봐요. 부인들이 봐도 그렇지 않나요?"

헨더슨 검사는 싱크대 밑에 쌓여있는 낡고 지저분한 냄비를 발로 차며 비아냥거렸다. 이에 헤일 부인이 반발했다.

"농장 일은 해도 해도 끝이 없어요."

"아, 예. 지당하신 말씀입니다."

헨더슨 검사는 과한 몸짓으로 고개를 숙이고는 덧붙였다.

"하지만 딕슨 카운티의 모든 농가 주택이 더러운 수건을 걸어놓고 사는 것도 아닌 거, 아시죠?"

"수건이 더러워지는 건 한순간이죠. 게다가 남자들은 손에 뭘 그렇게 묻히고 다니는지."

"아하. 같은 여자라고 편을 들어주시는군요?"

수건을 펼쳐 전면을 확인하며 웃음 짓던 검사는 이내 날카

and gave her a keen look, "But you and Mrs. Wright were neighbors. I suppose you were friends, too."

Martha Hale shook her head.

"I've seen little enough of her of late years. I've not been in this house--it's more than a year."

"And why was that? You didn't like her?"

"I liked her well enough," she replied with spirit. "Farmers' wives have their hands full, Mr. Henderson. And then--" She looked around the kitchen.

"Yes?" he encouraged.

"It never seemed a very cheerful place," said she, more to herself than to him.

"No," he agreed; "I don't think anyone would call it cheerful. I shouldn't say she had the home-making instinct."

"Well, I don't know as Wright had, either," she muttered.

로운 얼굴로 헤일 부인을 똑바로 바라보았다.

"헤일 부인께서는 라이트 부인과 이웃사촌이시죠? 친한 친구라고도 하실 수 있으실까요?"

"최근에는 만난 적이 없어요. 이 집에 온 것도… 아무튼, 못 본 지 일 년도 더 된 것 같아요."

"오, 왜 그렇죠? 라이트 부인이, 사람이 좀 별로인가요?"

"그런 문제가 아니에요!"

마사 헤일은 강력하게 부인했다.

"헨더슨 검사님. 농부의 아내로 살려면 얼마나 많은 일을 해내야 하는지 아시나요? 게다가……."

"게다가?"

"그다지 쾌적한 환경은 아니잖아요, 이 집."

대답하는 헤일 부인의 목소리는 상당히 자조적이었다.

"그렇죠. 아무도 이 집을 쾌적하다 표현하진 않을겁니다. 라이트 부인은 가정을 보살피는 여성적 본능이 약간 결핍되어 있는 사람으로 보이는군요."

"존 라이트도 별로 다르지 않았을텐데요."

"You mean they didn't get on very well?" he was quick to ask.

"No; I don't mean anything," she answered, with decision. As she turned a little away from him, she added: "But I don't think a place would be any the cheerfuller for John Wright's bein' in it."

"I'd like to talk to you about that a little later, Mrs. Hale," he said. "I'm anxious to get the lay of things upstairs now."

He moved toward the stair door, followed by the two men.

"I suppose anything Mrs. Peters does'll be all right?" the sheriff inquired. "She was to take in some clothes for her, you know--and a few little things. We left in such a hurry yesterday."

The county attorney looked at the two women they were leaving alone there among the kitchen things.

"라이트 부부의 사이가 좋지 않았다는 말인가요?"

"아니, 그런 뜻은 아니에요."

헤일 부인은 단호하게 답했고, 얼굴을 반대편으로 돌리며 덧붙였다.

"그저, 존 라이트 씨와 함께 있으면 그 어디에서도 쾌적함을 느끼기 힘들었다는 말이죠."

"헤일 부인. 그 이야기는 나중에 꼭 듣도록 하죠. 다만 지금은 일단 이 층 상황을 살펴보는 것이 더 중요할 것 같군요."

헨더슨 검사는 이 층으로 이어지는 계단을 향해 걸었고, 두 남자가 뒤를 따랐다.

"우리 집사람은 여기 있어도 괜찮겠지?"

피터스 보안관이 헨더슨 검사에게 물었다.

"부인의 옷가지를 챙겨주기로 했다는군. 어제 아무것도 없이 급하게 데리고 나갔거든."

계단 위에서 검사는 아래층 부엌살림 사이에 남겨진 두 여자를 바라보았다.

"당연하죠, 피터스 부인."

"Yes--Mrs. Peters," he said, his glance resting on the woman who was not Mrs. Peters, the big farmer woman who stood behind the sheriff's wife. "Of course Mrs. Peters is one of us," he said, in a manner of entrusting responsibility. "And keep your eye out, Mrs. Peters, for anything that might be of use. No telling; you women might come upon a clue to the motive--and that's the thing we need."

Mr. Hale rubbed his face after the fashion of a showman getting ready for a pleasantry.

"But would the women know a clue if they did come upon it?" he said; and, having delivered himself of this, he followed the others through the stair door.

그의 말은 피터스 부인을 향해 있었지만, 그의 시선은 그 뒤에 선 커다란 농부의 아내에게 고정되어 있었다.

"피터스 부인이야 우리 소속이 아닙니까."

헨더슨 검사의 목소리는 마치 피터스 부인에게 대단한 임무를 맡기는 것처럼 진지했다.

"피터스 부인, 잘 살펴주세요. 뭐든지 도움이 될 겁니다. 아시겠습니까? 우리가 찾고 있는 것은 살해 동기가 될 만한 증거입니다. 제 말, 이해 하시겠지요?"

"단서가 눈앞에 나타난다 한들, 부인네들이 뭘 알겠습니까? 하하. 코앞에 있어도 알아보지 못할 겁니다!"

루이스 헤일은 마치 막 농담을 던지려는 만담꾼처럼 손으로 얼굴을 문지르면서 두 여자에게 한마디를 툭 뱉고는, 다른 남자들을 따라 위층으로 올라갔다.

제 4 장
끝내지 못한 일들

The women stood motionless and silent, listening to the footsteps, first upon the stairs, then in the room above them.

Then, as if releasing herself from something strange. Mrs. Hale began to arrange the dirty pans under the sink, which the county attorney's disdainful push of the foot had deranged.

"I'd hate to have men comin' into my kitchen," she said testily--"snoopin' round and criticizin'."

"Of course it's no more than their duty," said the sheriff's wife, in her manner of timid acquiescence.

"Duty's all right," replied Mrs. Hale bluffly; "but I

두 여자는 말없이 서서 들려오는 소리에 집중했다. 한 계단 두 계단 계단을 오르는 발걸음 소리는 이 층으로 이어졌고 마침내 사건 현장인 침실에서 멈추었다.

헤일 부인은 자신을 꼼짝달싹하지 못하도록 옭아매고 있던 무언가를 벗어던지려고 애쓰듯이, 검사가 발로 찼던 싱크대 밑 지저분한 냄비 더미를 정리하기 시작했다. 잔뜩 화가 난 목소리로 헤일 부인이 말했다.

"남자들이 내 부엌에 들어오는 것을 생각만 해도 끔찍한데. 저렇게 들쑤시고 다니면서 잔소리를 해대는 꼴이라니!"

"중대한 사건을 해결하고 계시니까요. 그저 맡은 일을 성실히 수행하시는 것뿐일 거예요."

피터스 부인의 소심한 변론에 헤일 부인은 퉁명스러웠다.

guess that deputy sheriff that come out to make the fire might have got a little of this on." She gave the roller towel a pull. 'Wish I'd thought of that sooner! Seems mean to talk about her for not having things slicked up, when she had to come away in such a hurry."

She looked around the kitchen. Certainly it was not "slicked up." Her eye was held by a bucket of sugar on a low shelf. The cover was off the wooden bucket, and beside it was a paper bag--half full.

Mrs. HaIe moved toward it.

"She was putting this in there," she said to herself-- slowly.

She thought of the flour in her kitchen at home-- half sifted, half not sifted. She had been interrupted, and had left things half done. What had interrupted Minnie Foster? Why had that work been left half done? She made a move as if to finish it,--unfinished things always

"하! 참으로 대단한 일들 하셔, 정말. 잠깐, 지금 생각하니 그 수건은 불을 지피러 온 조수가 더럽힌 거 아녜요? 악! 진작 생각났으면 한마디 해줄 수 있었을 텐데! 게다가 부엌살림을 잘 했느니 못했느니 평가하는 그 태도는 또 뭔가요?! 갑자기 들이 닥쳐서 사람을 잡아가 놓고!"

헤일 부인은 빈말로도 깔끔하다 할 수 없는 상태의 부엌을 둘러보았다. 선반 아래의 설탕통은 뚜껑이 열린 채로 방치되어 있었고, 마치 설탕을 옮겨 담는 중이었던 듯 종이봉투 하나가 기대어 있었다. 반 정도 찬 채로.

헤일 부인은 천천히 설탕통을 향해 다가가며 작은 소리로 느리게 중얼거렸다.

"이걸 여기에 옮겨 담는 중이었나 보네."

헤일 부인은 자신의 집을 떠올렸다. 반쯤 채로 치다가 방치 해둔 밀가루와 난장판인 부엌을. 자신은 이 집에서 일어난 사건 때문에 하던 일을 끝마칠 수 없었다. 그렇다면 미니 포스터는? 설탕을 끝까지 옮겨 담지 못한 이유는 뭐였을까? 헤일 부인은 하다 만 일을 그냥 두고 볼 수 있는 성정이 아니었기에 설탕통

bothered her,--and then she glanced around and saw that Mrs. Peters was watching her--and she didn't want Mrs. Peters to get that feeling she had got of work begun and then--for some reason--not finished.

"It's a shame about her fruit," she said, and walked toward the cupboard that the county attorney had opened, and got on the chair, murmuring: "I wonder if it's all gone."

It was a sorry enough looking sight, but "Here's one that's all right," she said at last. She held it toward the light. "This is cherries, too." She looked again. "I declare I believe that's the only one."

With a sigh, she got down from the chair, went to the sink, and wiped off the bottle.

"She'll feel awful bad, after all her hard work in the hot weather. I remember the afternoon I put up my cherries last summer.

을 정리하기 위해 걸음을 옮겼다. 하지만 순간 피터스 부인의 눈치를 보았다. 하던 일을 끝마치지도 못할 만한 어떤 일이 미니 포스터에게 일어났을지 모른다는 그 생각을, 피터스 부인에게 옮겨주고 싶지 않았다.

"아– 과일 잼 아까워 죽겠네, 정말."

그래서 그 대신 헤일 부인은 그릇장으로 향했다.

"다 깨졌으려나?"

검사가 올라갔던 그 의자 위에 올라가, 터진 잼으로 엉망이 된 그릇장 위 칸을 살펴보았다.

"휴, 그래도 하나는 건졌어."

난장판 속에 살아남은 잼 하나를 빛에 비춰보니 체리 잼이었다. 헤일 부인은 고개를 밀어 넣고 다른 남은 것은 없는지 위 칸을 살폈다. 하지만 모두 처참한 상태였다.

"겨우 하나 건졌어."

의자에서 내려와 싱크대에서 잼을 닦으며 혼잣말을 했다.

"더운 날 잼을 졸인다고 고생했을 텐데, 너무 속상하겠어, 정말. 게다가 작년 잼 만드는 철에는 특히나 더웠잖아."

She set the bottle on the table, and, with another sigh, started to sit down in the rocker. But she did not sit down. Something kept her from sitting down in that chair. She straightened--stepped back, and, half turned away, stood looking at it, seeing the woman who had sat there "pleatin' at her apron."

The thin voice of the sheriff's wife broke in upon her: "I must be getting those things from the front-room closet." She opened the door into the other room, started in, stepped back. "You coming with me, Mrs. Hale?" she asked nervously. "You--you could help me get them."

They were soon back--the stark coldness of that shut-up room was not a thing to linger in.

"My!" said Mrs. Peters, dropping the things on the table and hurrying to the stove.

Mrs. Hale stood examining the clothes the woman who was being detained in town had said she wanted.

헤일 부인은 한숨을 푹 쉬었다. 유리병을 식탁에 올려놓으면서 의자에 앉으려고 몸을 굽혔지만, 어쩐지 그 의자에는 기댈 수 없어서 몸을 다시 일으켜 의자에서 멀어졌다. 흔들의자에 여전히 앉아있는 한 여자의 모습이 보이는 것 같기도 했다. 헤일 부인은 그 모습을 그려보며 중얼거렸다.

"앞치마를……. 만지작거리며……."

그때, 피터스 부인이 희미한 목소리로 말을 걸어왔다.

"옷가지를 챙기러 거실 옷장에 좀 가봐야 하는데요."

피터스 부인은 거실로 이어지는 문을 열고 들어가려다가 한두 걸음 뒷걸음질 치며 떨리는 목소리로 물었다.

"함께 가주실 거죠, 헤일 부인? 좀…… 도와주시면 좋겠어요."

둘은 얼마 지나지 않아 후다닥 부엌으로 돌아왔다. 닫혀 있던 거실은 어찌나 얼음장 같은지, 잠시도 머무르기가 힘들었다.

피터스 부인은 챙겨온 물건을 식탁 위에 쏟아놓고 몸을 부르르 떨며 화덕 앞에서 몸을 녹였다.

하지만 헤일 부인은 구치소에 수감된 부인이 부탁했던 물건

"Wright was close!" she exclaimed, holding up a shabby black skirt that bore the marks of much making over. "I think maybe that's why she kept so much to herself. I s'pose she felt she couldn't do her part; and then, you don't enjoy things when you feel shabby. She used to wear pretty clothes and be lively--when she was Minnie Foster, one of the town girls, singing in the choir. But that--oh, that was twenty years ago."

With a carefulness in which there was something tender, she folded the shabby clothes and piled them at one corner of the table. She looked up at Mrs. Peters, and there was something in the other woman's look that irritated her.

"She don't care," she said to herself. "Much difference it makes to her whether Minnie Foster had pretty clothes when she was a girl."

Then she looked again, and she wasn't so sure; in fact,

들을 가만히 살폈다.

"존 라이트는 아주 심각한 구두쇠였던 거야!"

헤일 부인이 들어 올린 낡고 검은 치마는 여기저기 수없이 기워낸 흔적이 역력했다.

"이러니까 집에만 틀어박혀 있었을 테지! 사람들을 만나러 나오고 싶지 않았던 거야. 스스로가 초라하게 느껴질 때는 뭐든지 즐길 수 없어지잖아요! 안 그래요? 아, 정말. 예쁜 옷을 입고 밝게 웃던 아이였는데. 결혼하기 전 미니 포스터는, 합창단에서 노래하던 새침한 도시 여자아이였다고요. 벌써... 이십 년이 지나버렸네."

안타까움과 다정함까지 느껴지는 손길로 헤일 부인은 낡은 옷을 차곡차곡 접어 식탁 한쪽에 쌓아두고는 피터스 부인을 바라보았다. 하지만 피터스 부인의 알 수 없는 표정에 헤일 부인은 짜증부터 솟구쳤다. 헤일 부인은 나지막이 중얼거렸다.

"그래, 뭐. 신경이나 쓰겠어? 미니 포스터가 어떤 아이였는지 자신과는 상관없다고 생각하겠지."

혼잣말 후 피터스 부인을 바라보았을 때, 이번에는 어쩐지

she hadn't at any time been perfectly sure about Mrs. Peters. She had that shrinking manner, and yet her eyes looked as if they could see a long way into things.

"This all you was to take in?" asked Mrs. Hale.

"No," said the sheriffs wife; "she said she wanted an apron. Funny thing to want, " she ventured in her nervous little way, "for there's not much to get you dirty in jail, goodness knows. But I suppose just to make her feel more natural. If you're used to wearing an apron--. She said they were in the bottom drawer of this cupboard. Yes--here they are. And then her little shawl that always hung on the stair door."

She took the small gray shawl from behind the door leading upstairs, and stood a minute looking at it.

Suddenly Mrs. Hale took a quick step toward the other woman, "Mrs. Peters!"

"Yes, Mrs. Hale?"

심란한 마음이 들었다. 사실은 피터스 부인을 처음 본 순간부터 이상하게 신경이 쓰였다. 잔뜩 움츠러든 몸과 위축된 태도와 집요하게 응시하는 듯한 그 눈빛 때문에.

"다 챙겼어요?"

"아직이요. 앞치마도 가져다 달라고 했어요. 교도소에 수감될지도 모르는 사람이 앞치마를 필요로 하다니, 정말 이상하죠? 몸이 더러워질 정도로 할 일이 있는 것도 아닐 텐데 말이에요. 이걸 두르고 있으면 마음이 조금은 편해질 수 있을 거라고 생각하신 걸까요? 한평생 앞치마를 두르고 살았을 테니까요. 여기 그릇장 맨 아래 서랍에 있다고 했는데. 아, 여기 있네요. 그리고 작은 숄도 가져다 달라고 하셨어요. 계단 문 뒤에 걸어 두었다고 하셨는데."

피터스 부인은 수다를 늘어놓으며 계단 뒤로 걸어가 작은 회색 숄을 집어 들었다. 그리고 한참 동안 그 숄을 멍하니 응시했다. 그때, 숨죽이고 다가온 헤일 부인이 말을 걸었다.

"피터스 부인."

"네, 헤일 부인?"

"Do you think she--did it?'

A frightened look blurred the other thing in Mrs. Peters' eyes.

"Oh, I don't know," she said, in a voice that seemed to shink away from the subject.

"Well, I don't think she did," affirmed Mrs. Hale stoutly. "Asking for an apron, and her little shawl. Worryin' about her fruit."

"Mr. Peters says--." Footsteps were heard in the room above; she stopped, looked up, then went on in a lowered voice: "Mr. Peters says--it looks bad for her. Mr. Henderson is awful sarcastic in a speech, and he's going to make fun of her saying she didn't--wake up."

For a moment Mrs. Hale had no answer. Then, "Well, I guess John Wright didn't wake up--when they was slippin' that rope under his neck," she muttered.

"No, it's strange," breathed Mrs. Peters. "They think it

"미니 포스터가……. 그랬을 것 같아요?"

눈동자에서 피어난 공포심이 세상을 아찔하게 지워나갔다. 피터스 부인은 더는 이야기하고 싶지 않다는 듯이 눈을 질끈 감았다.

"아… 글쎄요."

피터스 부인의 회피하는듯한 말투에 헤일 부인은 더욱확신에 찬 목소리로 답했다.

"전 아녜요. 과일 잼을 걱정하고, 앞치마와 숄을 가져다 달라고 부탁하는 걸 보면 알죠."

"저희 바깥분이 말씀하시기를……"

피터스 부인이 입을 여는 순간 위층에서 발소리가 들렸다. 부인은 고개를 들어 위층을 힐끔 바라보고는 한층 더 위축된 목소리로 비밀스럽게 말을 이었다.

"지금 라이트 부인에게 아주 곤란한 상황이라고 하셨어요. 헨더슨 검사님의 냉소적인 말투 아시잖아요. 부인의 말을 믿을 수 없다며 조롱하실 게 분명하다고요. 사건이 일어나는 동안 부인은……. 잠들어 있었다고 하셨잖아요."

was such a--funny way to kill a man."

She began to laugh; at sound of the laugh, abruptly stopped.

"That's just what Mr. Hale said," said Mrs. Hale, in a resolutely natural voice. "There was a gun in the house. He says that's what he can't understand."

"Mr. Henderson said, coming out, that what was needed for the case was a motive. Something to show anger--or sudden feeling."

'Well, I don't see any signs of anger around here," said Mrs. Hale, "I don't--" She stopped. It was as if her mind tripped on something. Her eye was caught by a dish-towel in the middle of the kitchen table. Slowly she moved toward the table. One half of it was wiped clean, the other half messy. Her eyes made a slow, almost unwilling turn to the bucket of sugar and the half empty bag beside it. Things begun--and not finished.

"아니, 자고 있던 건 존 라이트 본인도 마찬가지 아녜요? 목에 밧줄이 감겨 숨이 끊어질 때까지. 웃겨, 정말."

"그것도 이상해요. 바깥 분들도 그러셨어요. 어떻게 그렇게 죽였는지……. 웃음이 나올 정도로 이상한 방법이래요."

"우리 남편도 딱 그 이야기를 하데요. 집에 총도 있었잖아요? 근데 왜 그렇게 죽였는지. 그게 이해할 수가 없다고요."

"헨더슨 검사님은 사건 해결을 위해서는 살해 동기를 찾아야 한다고 하셨어요. 분노라던가 우발적 감정의 폭발을 보여주는…… 어떤 것이요."

"그런 증거, 적어도 여긴 없네요. 그리고 내 생각에는-"

마치 질주하던 생각이 어딘가에 부딪혀 쓰러져 버린 것처럼, 헤일 부인의 말이 갑자기 뚝 하고 끊어졌다. 부인의 시선은 식탁 중앙에 놓인 행주에 고정되어 있었다. 가까이 다가가서 살펴보니, 식탁의 한쪽은 깨끗하게 닦였었지만, 다른 쪽은 지저분했다. 아주 천천히, 마지못해 움직이는 것처럼, 헤일 부인의 고개가 돌아갔다. 시선은 뚜껑이 열린 채 방치된 설탕 통과 기대어 있는 반쯤 찬 설탕 봉지를 향했다.

After a moment she stepped back, and said, in that manner of releasing herself:

"Wonder how they're finding things upstairs? I hope she had it a little more red up up there. You know,"-- she paused, and feeling gathered,--"it seems kind of sneaking: locking her up in town and coming out here to get her own house to turn against her!"

"But, Mrs. Hale," said the sheriff's wife, "the law is the law."

"I s'pose 'tis," answered Mrs. Hale shortly.

She turned to the stove, saying something about that fire not being much to brag of. She worked with it a minute, and when she straightened up she said aggressively:

"The law is the law--and a bad stove is a bad stove. How'd you like to cook on this?"--pointing with the poker to the broken lining. She opened the oven door and

'시작은 했으나…… 끝내지 못한 일들.'

밀려드는 생각에 헤일 부인은 뒤로 한 발짝 물러섰다. 하지만 이내 감정을 추스르고 태연한 척 주제를 바꾸려 애썼다.

"위층에 올라간 사람들은 잘하고 있겠죠? 위층은 조금 더 깨끗하게 정리되어 있어야 할 텐데. 남자들이 또 뭐라고 궁시렁거릴 거 아녜요. 무슨 말인지 알죠?"

헤일 부인은 감정을 추스르고 다시 말을 이었다.

"근데, 좀 불공평하지 않아요? 집주인은 구치소에 가둬두고 쳐들어와서 그 주인을 기소시킬 증거를 찾으려고 하다니!"

"그렇지만, 헤일 부인. 법은, 법이에요."

"네, 뭐. 그렇겠죠."

완강한 피터스 부인의 말에 헤일 부인은 퉁명스럽게 대답하고는 화덕을 열었다. 무언가 하려고 이것저것 만지는가 싶더니, 잘되지 않는 것인지 몸을 바로 세우며 소리쳤다.

"법이 법인만큼, 구린 화덕도 구린 화덕이죠! 아니, 이런 구린 화덕에서 어떻게 음식을 만들었지?!"

헤일 부인은 부지깽이로 화덕의 내벽을 가리켰다. 한눈에도

started to express her opinion of the oven; but she was swept into her own thoughts, thinking of what it would mean, year after year, to have that stove to wrestle with. The thought of Minnie Foster trying to bake in that oven--and the thought of her never going over to see Minnie Foster--.

She was startled by hearing Mrs. Peters say: "A person gets discouraged--and loses heart."

The sheriff's wife had looked from the stove to the sink--to the pail of water which had been carried in from outside. The two women stood there silent, above them the footsteps of the men who were looking for evidence against the woman who had worked in that kitchen. That look of seeing into things, of seeing through a thing to something else, was in the eyes of the sheriff's wife now. When Mrs. Hale next spoke to her, it was gently:

"Better loosen up your things, Mrs. Peters. We'll not

여기저기 부식되어 제 역할을 해내기에 힘들어 보였다. 그렇게 불평을 하다가, 헤일 부인은 해가 몇 번이고 바뀌도록 낡아 빠진 화덕과 씨름해야 하는 삶은 도대체 어땠을지 생각해 보았다. 헤일 부인은 떠올렸다. 저 오븐에서 어떻게든 뭐라도 구워 보려 애쓰는 미니 포스터를. 어떻게 살고 있는지 한 번도 들여다보지 못했던 미니 포스터를…….

그때 피터스 부인이 자조적으로 중얼거리는 소리가 들렸다. 덕분에 헤일 부인은 상념에서 벗어날 수 있었다.

"실망이 거듭되면 상심하게 돼요. 말 그대로, 마음을 송두리째 잃어버리고 마는 거예요."

피터스 부인의 시선이 화덕에서 싱크대로, 그리고 밖에서 물을 길어올 때 쓰는 양동이로 옮겨졌다. 두 여자는 침묵했다. 위층에서는 이 부엌에서 평생을 일한 여자를 범인으로 몰기 위해 남자들이 분주히 발소리를 내며 증거를 찾고 있었고, 피터스 부인의 얼굴에는 집요하게 응시하는 듯한 표정이 다시 한번 서렸다. 그 모습을 보고 헤일 부인은 이전보다는 훨씬 부드러운 말투로 피터스 부인을 다독였다.

feel them when we go out."

Mrs. Peters went to the back of the room to hang up the fur tippet she was wearing. A moment later she exclaimed, "Why, she was piecing a quilt," and held up a large sewing basket piled high with quilt pieces.

Mrs. Hale spread some of the blocks on the table.

"It's log-cabin pattern," she said, putting several of them together, "Pretty, isn't it?"

They were so engaged with the quilt that they did not hear the footsteps on the stairs. Just as the stair door opened Mrs. Hale was saying:

"Do you suppose she was going to quilt it or just knot it?"

The sheriff threw up his hands.

"They wonder whether she was going to quilt it or just knot it!"

There was a laugh for the ways of women, a warming

"긴장 풀어요. 이 집에서 나가면 기분이 좀 나아지겠죠."

피터스 부인은 두르고 있던 모피 목도리를 벗어두기 위해 부엌 뒤편으로 향했다. 그리고 잠시 후 퀼트 조각이 잔뜩 들어 있는 바느질 꾸러미를 들어 올리며 헤일 부인을 향해 소리쳤다.

"세상에. 이것 좀 보세요. 퀼트를 하시나 봐요."

헤일 부인은 퀼트 조각을 몇 개 꺼내어 식탁 위에서 색깔 배열에 맞춰 배치해 보았다.

"로그 캐빈으로 만들려고 했나 봐. 예쁘다, 그죠?"

두 사람은 위층에서 내려오는 남자들의 발소리도 듣지 못한 채 퀼트 관찰에 푹 빠져 있었다. 루이스 헤일이 문을 여는 그 시점에 헤일 부인이 입을 열었다.

"궁금하네. 바느질로 이어붙이려고 했을까요, 매듭으로 이어 묶으려고 했을까요?"

헤일 부인의 말을 들은 피터스 보안관은 과장된 자세로 두 손을 들어 올리며 소리쳤다.

"바느질일지 매듭일지 알고 싶다는군! 누가 말리겠어!"

여자들이란 정말 어쩔 수가 없다며 큰 소리로 비웃은 피터

of hands over the stove, and then the county attorney said briskly:

"Well, let's go right out to the barn and get that cleared up."

"I don't see as there's anything so strange," Mrs. Hale said resentfully, after the outside door had closed on the three men--"our taking up our time with little things while we're waiting for them to get the evidence. I don't see as it's anything to laugh about."

"Of course they've got awful important things on their minds," said the sheriff's wife apologetically.

They returned to an inspection of the block for the quilt. Mrs. Hale was looking at the fine, even sewing, and preoccupied with thoughts of the woman who had done that sewing, when she heard the sheriff's wife say, in a queer tone:

"Why, look at this one."

스 보안관은 화덕으로 다가가 손을 녹였다. 뒤따라오던 검사가 날카롭게 소리쳤다.

"자, 이제 헛간을 조사하고 빨리빨리 끝내버립시다."

그렇게 세 남자가 밖으로 나가고, 현관문이 닫히자마자 헤일 부인은 분하다는 투로 말했다.

"아니 그게 뭐가 이상하다는 거지? 자기들 기다리는 동안 우리 나름대로 소일거리를 하며 시간을 보내려는 건데. 그게 저렇게 비웃을 일인가?"

피터스 부인은 남자들 대신 자신이 변명하듯이 작은 목소리로 사과했다.

"바깥 분들이 지금 중요한 사건을 조사하고 계셔서 말이 그렇게 나오신 걸 거예요."

둘은 다시 퀼트 조각을 살펴보기 시작했다. 단정하게 바느질한 조각들을 관찰하고 있자니, 헤일 부인은 한 땀 한 땀 신중하게 바늘을 꿰었을 한 여인이 머릿속에 그려졌다. 그때, 피터스 부인이 뭔가 묘하다는 말투로 외쳤다.

"세상에. 이것 좀 보세요."

She turned to take the block held out to her.

"The sewing," said Mrs. Peters, in a troubled way, "All the rest of them have been so nice and even--but--this one. Why, it looks as if she didn't know what she was about!"

Their eyes met--something flashed to life, passed between them; then, as if with an effort, they seemed to pull away from each other. A moment Mrs. Hale sat there, her hands folded over that sewing which was so unlike all the rest of the sewing. Then she had pulled a knot and drawn the threads.

"Oh, what are you doing, Mrs. Hale?" asked the sheriff's wife, startled.

"Just pulling out a stitch or two that's not sewed very good," said Mrs. Hale mildly.

"I don't think we ought to touch things," Mrs. Peters said, a little helplessly.

피터스 부인은 조각 하나를 들어 올렸다.

"바느질이… 다른 부분은 정갈한데, 여기. 이건……. 세상에나. 완전히 다른 사람이 한 것 같네요. 여기저기 찔리기도 많이 찔렸나 봐요. 이걸 만들 때 정신을 딴 데 팔고 있기라도 했던 걸까요?"

시선이 마주쳤다. 눈에 보이지 않는 무언가가 반짝이며 터져 나왔다. 어떠한 연대감이 둘 사이에 생겨난 것이다. 하지만 누가 먼저랄 것도 없이, 서로에게서 거리를 두려는 것처럼, 둘은 애써 시선을 다른 곳으로 돌렸다. 곧이어 헤일 부인은 의자에 앉아 방금 피터스 부인이 집어 들었던 천을 들었다. 엉망으로 바느질된 부분의 끝매듭을 잘라낸 뒤, 실을 모두 풀고 다시 말끔하게 바느질하기 시작했다.

"아니, 헤일 부인. 그러시면 안 되는 거 아니에요?"

"그냥 한두 땀 정도 풀어서 고치는 건데 뭘요."

조마조마 안절부절못하는 피터스 부인과 달리 헤일 부인은 여전히 태연한 척 답했다.

"우리 마음대로 그렇게 하면 안 될 것 같은데요."

"I'll just finish up this end," answered Mrs. Hale, still in that mild, matter-of-fact fashion.

She threaded a needle and started to replace bad sewing with good. For a little while she sewed in silence. Then, in that thin, timid voice, she heard:

"Mrs. Hale!"

"Yes, Mrs. Peters?"

'What do you suppose she was so--nervous about?"

"Oh, I don't know," said Mrs. Hale, as if dismissing a thing not important enough to spend much time on. "I don't know as she was--nervous. I sew awful queer sometimes when I'm just tired."

She cut a thread, and out of the corner of her eye looked up at Mrs. Peters. The small, lean face of the sheriff's wife seemed to have tightened up. Her eyes had that look of peering into something. But next moment she moved, and said in her thin, indecisive way:

"요것만 마무리하죠, 뭐."

헤일 부인은 바늘에 실을 꿰어 바느질이 엉망으로 된 부분을 모두 풀고 말끔하게 다시 꿰맸다. 바느질하는 동안 정적이 이어졌다. 그러다 아주 작고 희미한 목소리로 피터스 부인이 헤일 부인에게 말을 걸어왔다.

"헤일 부인······!"

"네, 피터스 부인?"

"왜 그렇게··· 불안했을까요?"

"글쎄요. 저야 모르죠."

피터스 부인의 조심스러운 질문에 헤일 부인은 깊이 생각할 가치도 없는 일이라는 식으로 일축했다.

"꼭 불안해했다고 볼 수는 없죠. 저만해도 몸이 피곤하면 엉망으로 바늘을 꿰게 되곤 하니까요."

헤일 부인은 실을 끊어내며 곁눈질로 피터스 부인을 살폈다. 작고 핼쑥한 보안관의 아내는 잔뜩 긴장한 상태였다. 집요하게 응시하는 듯한 눈빛도 여전했다. 피터스 부인은 곧이어 자리에서 일어나며 여리고 얼버무리는 투로 말했다.

'Well, I must get those clothes wrapped. They may be through sooner than we think. I wonder where I could find a piece of paper--and string."

"In that cupboard, maybe," suggested to Mrs. Hale, after a glance around.

One piece of the crazy sewing remained unripped. Mrs. Peter's back turned, Martha Hale now scrutinized that piece, compared it with the dainty, accurate sewing of the other blocks. The difference was startling. Holding this block made her feel queer, as if the distracted thoughts of the woman who had perhaps turned to it to try and quiet herself were communicating themselves to her.

"그럼, 저는 가서 옷가지를 챙겨올게요. 바깥 분들 일이 우리가 예상하는 것보다 일찍 마무리될지도 모르니까요. 옷가지를 담을… 종이랑 끈이 어디 있나 찾아봐야겠어요."

헤일 부인은 주변을 둘러보았다.

"그릇장에 한 번 봐요."

엉망으로 바느질된 조각은 이제 딱 하나뿐이었다. 피터스 부인이 그릇장을 살피기 위해 뒤돌아서자, 마사 헤일은 그 조각을 신중하게 살펴보며 다른 조각의 바느질과 비교를 해보았다. 아무리 봐도 한 사람의 실력이라고 말할 수 없을 만큼의 차이였다. 엉망진창인 퀼트 조각을 들고 있으려니, 어쩐지 이상한 마음이 들었다. 어떻게든 불안감을 진정시켜보려 여기저기 바늘을 찌르던 한 여자의 심정이 퀼트 조각을 통해 고스란히 전달되는 것 같았다.

제 5 장

노래하던 작은 새

Mrs. Peters' voice roused her.

"Here's a bird-cage," she said. "Did she have a bird, Mrs. Hale?"

'Why, I don't know whether she did or not." She turned to look at the cage Mrs. Peters was holding up. "I've not been here in so long." She sighed. "There was a man round last year selling canaries cheap--but I don't know as she took one. Maybe she did. She used to sing real pretty herself."

Mrs. Peters looked around the kitchen.

"Seems kind of funny to think of a bird here." She half laughed--an attempt to put up a barrier. "But she must

"이것 좀 보세요. 새장이에요."

헤일 부인은 피터스 부인의 목소리에 정신을 차렸다.

"헤일 부인. 라이트 부인이 새를 키우셨었나요?"

"글쎄요. 사실 저도 잘 몰라요. 새를 키웠었나?"

헤일 부인은 피터스 부인이 들고 있는 새장을 바라보았다.

"이 집에 진짜 오랜만에 와서요. 작년인가? 카나리아를 싸게 판다는 사람이 집집마다 돌아다니긴 했는데. 그때 샀을지도요? 아……. 어린 시절 미니 포스터도 노래를 정말 아름답게 잘했는데."

"이런 곳에서 새가 살았다니, 전혀 어울리지 않는데요."

피터스 부인은 주방을 둘러보았다. 그리고는 본심을 숨기려는 듯 애매하게 웃었다.

have had one--or why would she have a cage? I wonder what happened to it."

"I suppose maybe the cat got it," suggested Mrs. Hale, resuming her sewing.

"No; she didn't have a cat. She's got that feeling some people have about cats--being afraid of them. When they brought her to our house yesterday, my cat got in the room, and she was real upset and asked me to take it out."

"My sister Bessie was like that," laughed Mrs. Hale.

The sheriff's wife did not reply. The silence made Mrs. Hale turn round. Mrs. Peters was examining the bird-cage.

"Look at this door," she said slowly. "It's broke. One hinge has been pulled apart."

Mrs. Hale came nearer.

"Looks as if someone must have been--rough with it."

"하지만 새가 있던 것 같긴 하죠? 그렇지 않으면 새장이 있을 리가 없잖아요. 그러면 여기 있던 새는 어디있을까요?"

"뭐, 고양이가 물어갔겠죠."

헤일 부인은 그저 바느질에만 집중했다.

"그건 아닐 거예요. 라이트 부인은 고양이를 무서워하는 거 같았거든요. 간혹 그런 사람들 있잖아요. 미신을 믿는 사람들. 제 방에서 고양이를 기르는데, 어제 라이트 부인이 저희 집에 왔을 때 제발 고양이를 눈에 보이지 않는 곳으로 치워달라고 부탁했었어요."

"내 동생 베시랑 똑같네."

헤일 부인은 바느질에 시선을 고정한 채로 웃으며 답했다. 그리고 한동안 아무런 소리가 들리지 않아 뒤를 돌아보니, 피터스 부인은 새장을 관찰하고 있었다.

"여기 이쪽 문을 좀 보세요."

피터스 부인의 스산한 부름에 헤일 부인이 가까이 다가왔다.

"망가졌어요. 경첩이 떨어져 나간 거 보이시죠."

Again their eyes met--startled, questioning, apprehensive. For a moment neither spoke nor stirred. Then Mrs. Hale, turning away, said brusquely:

"If they're going to find any evidence, I wish they'd be about it. I don't like this place."

"But I'm awful glad you came with me, Mrs. Hale." Mrs. Peters put the bird-cage on the table and sat down. "It would be lonesome for me--sitting here alone."

"Yes, it would, wouldn't it?" agreed Mrs. Hale, a certain determined naturalness in her voice. She had picked up the sewing, but now it dropped in her lap, and she murmured in a different voice: "But I tell you what I do wish, Mrs. Peters. I wish I had come over sometimes when she was here. I wish--I had."

"But of course you were awful busy, Mrs. Hale. Your house--and your children."

"I could've come," retorted Mrs. Hale shortly. "I stayed

"뭐야…….. 누가 강제로 연 거 같은데요?"

둘은 서로를 바라보았다. 서로의 눈에서 답을 구하는 것 같
았고, 눈맞춤 그 자체로 답을 확인받은 것 같기도 했다. 한동안
시간이 멈춘 것처럼 둘 사이에는 아무런 말도 동요도 없었다.
잠시 후, 헤일 부인이 돌아서서 툴툴거렸다.

"증거를 찾는다던 사람들은 아직 멀었나? 빨리 좀 하지. 여
기 진짜 마음에 안 들어요."

"함께 와주셔서, 정말로, 정말로 감사해요, 헤일 부인."

피터스 부인은 새장을 식탁 위에 올려놓고 자리에 앉았다.

"저 혼자 앉아서 기다려야 했다면…….. 힘들었을 거예요."

"정말. 혼자였다면 끔찍했겠죠."

헤일 부인의 목소리에는 최대한 태연한 척하려는 확고한 의
지가 서려 있었다. 그저 바느질에만 집중해보려 했지만, 이내 손
을 무릎으로 떨어트리며 무너져내렸다.

"그래서 그러면 안 되는 거였어요, 피터스 부인. 진작 이 집
에 와봐야 했어요. 한 번, 한번 만이라도 들여다봐야 했어요!"

"하지만 헤일 부인은 정말로 바쁘셨잖아요. 집안일도 바쁘

away because it weren't cheerful--and that's why I ought to have come. I"--she looked around--"I've never liked this place. Maybe because it's down in a hollow and you don't see the road. I don't know what it is, but it's a lonesome place, and always was. I wish I had come over to see Minnie Foster sometimes. I can see now--" She did not put it into words.

"Well, you mustn't reproach yourself," counseled Mrs. Peters. "Somehow, we just don't see how it is with other folks till--something comes up."

"Not having children makes less work," mused Mrs. Hale, after a silence, "but it makes a quiet house--and Wright out to work all day--and no company when he did come in. Did you know John Wright, Mrs. Peters?"

"Not to know him. I've seen him in town. They say he was a good man."

"Yes--good," conceded John Wright's neighbor grimly.

고, 아이들을 키우는 것도 그렇고 말이에요."

"마음만 먹으면 올 수 있었어요. 하지만, 그다지 쾌적한 곳이 아니라서, 그래서 오기 싫었어요. 그럴수록 더 와봐야 했는데. 이상하게 이 집이 정말 싫더라고요. 음침하고 외진 곳에 있어서, 그리고 그냥 언제나 너무 고독한 장소 같아서. 그런저런 이유로 오기 싫었던 거예요. 그런데, 그러니까 더더욱 시간을 내서 미니 포스터를 만나러 와야 했어요. 혼자서 이곳을 어떻게 견뎠을지…… 겉보다 안은 훨씬 더 이렇게……."

"그렇게 자책하지 마세요. 다른 이들이 어떻게 사는지 들여다볼 여유가 없는 건 모두 마찬가지잖아요. 이런 일이…… 생기기 전에는요."

"아이가 없으면 집안일은 덜할지 몰라도……. 집이 삭막해져요. 존 라이트가 나가고 나면 그가 다시 집으로 돌아올 때까지 이곳에 혼자 남겨졌겠죠. 존 라이트가 어떤 사람인지 알았나요, 피터스 부인?"

"잘 알지는 못했어요. 하지만 마주친 적은 있어요. 좋은 사람이었다고 다들 말하던걸요."

"He didn't drink, and kept his word as well as most, I guess, and paid his debts. But he was a hard man, Mrs. Peters. Just to pass the time of day with him--." She stopped, shivered a little. "Like a raw wind that gets to the bone." Her eye fell upon the cage on the table before her, and she added, almost bitterly: "I should think she would've wanted a bird!"

Suddenly she leaned forward, looking intently at the cage. "But what do you s'pose went wrong with it?"

"I don't know," returned Mrs. Peters; "unless it got sick and died."

But after she said it she reached over and swung the broken door. Both women watched it as if somehow held by it.

"You didn't know--her?" Mrs. Hale asked, a gentler note in her voice.

"Not till they brought her yesterday," said the sheriff's

"좋은 사람이라, 하! 그래요. 애주가도 아니고 자기가 한 말은 거의 지키려고 노력했겠죠. 빚도 꼬박꼬박 갚고요. 하지만요, 피터스 부인. 그는 정말로 냉소적인 사람이었어요. 그 남자와 아주 잠깐이라도 함께 있으면, 마치……."

말을 멈춘 헤일 부인은 온몸을 사시나무 떨듯 떨었다.

"그 차가움이 뼛속까지 스며드는 것 같았어요."

시선이 새장으로 떨어지고, 분노가 터져 나왔다.

"그러니까 새라도 기르고 싶었을 텐데!"

헤일 부인은 몸을 앞으로 기울이며 앞쪽 식탁에 놓인 새장에 얼굴을 바짝 붙였다.

"새는, 어디로 간 걸까요?"

"그러게요. 병들어 죽거나 한 게 아니라면……."

피터스 부인은 그렇게 대답하면서 손을 뻗어 망가진 문을 열어젖혔다. 두 여자는 같은 생각에 빠진 것처럼 새장 문을 멍하니 보았다.

"피터스 부인. 미니 포스터를... 알고 있었나요?"

질문하는 헤일 부인의 목소리에 다정함이 깃들어 있었다.

wife.

"She--come to think of it, she was kind of like a bird herself. Real sweet and pretty, but kind of timid and--fluttery. How--she--did--change."

That held her for a long time. Finally, as if struck with a happy thought and relieved to get back to everyday things, she exclaimed:

"Tell you what, Mrs. Peters, why don't you take the quilt in with you? It might take up her mind."

"Why, I think that's a real nice idea, Mrs. Hale," agreed the sheriff's wife, as if she too were glad to come into the atmosphere of a simple kindness. "There couldn't possibly be any objection to that, could there? Now, just what will I take? I wonder if her patches are in here--and her things?"

They turned to the sewing basket.

"Here's some red," said Mrs. Hale, bringing out a roll

"아니요. 어제 처음 뵈었어요."

"지금 생각해 보니, 미니 포스터는 작은 새 같았어요. 예쁘고 사랑스럽지만 소심하기도 하고, 약간 팔랑거린다고 해야 하나. 그런데……. 지금은, 얼마나 달라졌는지."

헤일 부인은 한참 동안 아무 말도 하지 않고 그 시절을 추억했다. 그러다 마침내, 문득 즐거운 생각이 떠오른 것처럼 들뜬 표정으로 말을 이었다.

"피터스 부인! 이렇게 해요! 옷가지와 함께 이 퀼트 조각을 가져다주는 거예요! 집중하면서 잡생각 들지 않도록요!"

"세상에, 정말로 좋은 생각이셔요, 헤일 부인. 그 정도는 해도 되겠죠. 바깥 분들도 안된다고 하지는 않을 것 같아요. 그렇죠? 그 정도는 해도 되는 거겠죠?"

피터스 부인은 간단한 친절을 베풀 수 있어 기쁘다는 듯이 헤일 부인과 함께 바느질 바구니를 뒤적거렸다.

"그래요! 어떤 걸 가져다드리면 좋을까요? 여기 이 조각하고……. 다른 도구는 여기에 있는 것 같은데 한 번 보시겠어요?"

"붉은색은 모두 이쪽에 있나봐요!"

of cloth. Underneath that was a box. "Here, maybe her scissors are in here--and her things." She held it up. "What a pretty box! I'll warrant that was something she had a long time ago--when she was a girl."

She held it in her hand a moment; then, with a little sigh, opened it.

Instantly her hand went to her nose.

"Why--!"

Mrs. Peters drew nearer--then turned away.

"There's something wrapped up in this piece of silk," faltered Mrs. Hale.

"This isn't her scissors," said Mrs. Peters, in a shrinking voice.

Her hand not steady, Mrs. Hale raised the piece of silk. "Oh, Mrs. Peters!" she cried. "It's--"

Mrs. Peters bent closer.

"It's the bird," she whispered.

헤일 부인이 바구니에서 붉은 천 꾸러미를 꺼내놓았다. 그 아래에는 작고 예쁜 상자가 들어 있었다.

"쪽가위 같은 건 다 이 밑에 들었을 것 같은데. 이 상자 좀 봐요! 너무 예쁘다. 그쵸? 분명히 어린 시절부터 가지고 있었던 상자일 거예요."

헤일 부인은 잠시 기분 좋은 기대감에 취한 것처럼 눈을 감고 숨을 고르더니 상자를 열었다.

"으악! 이게 무슨!"

하지만 즉시 얼굴을 돌리며 코를 틀어막았다.

피터스 부인 역시 상자를 향해 다가오다가 표정을 찌푸리며 고개를 반대편으로 획 돌렸다.

"천으로 속에 뭐가 싸여 있는 거지?"

"쪽가위가 들어 있는 상자는 확실히 아닌 것 같네요……"

헤일 부인은 손을 바들바들 떨며 실크 조각을 들어 올렸다.

"피터스 부인! 이건……!"

헤일 부인의 외침에 피터스 부인이 고개를 숙여 가까이 들여다보고 나지막이 속삭였다.

"But, Mrs. Peters!" cried Mrs. Hale. "Look at it! Its neck--look at its neck! It's all--other side to."

She held the box away from her.

The sheriff's wife again bent closer.

"Somebody wrung its neck," said she, in a voice that was slow and deep.

And then again the eyes of the two women met--this time clung together in a look of dawning comprehension, of growing horror. Mrs. Peters looked from the dead bird to the broken door of the cage. Again their eyes met.

And just then there was a sound at the outside door. Mrs. Hale slipped the box under the quilt pieces in the basket, and sank into the chair before it. Mrs. Peters stood holding to the table. The county attorney and the sheriff came in from outside.

"Well, ladies," said the county attorney, as one turning from serious things to little pleasantries, "have you

"새…… 네요."

"아니, 피터스 부인! 여기! 여기 좀! 목이! 으, 목을 봐요!"

헤일 부인은 상자를 피하려는 듯이 손을 멀리 뻗었다.

하지만 피터스 부인은 몸을 조금 더 가까이 숙여 얼굴을 가까이 대고 자세히 관찰했다.

"누군가 목을 비틀었군요."

피터스 부인은 아주 느리고 깊은 목소리로 결론을 내렸다.

둘은 다시 한번 서로를 바라보았다. 서로의 눈에서 어떤 깨달음을 읽어냈고, 어떤 공포가 피어나는 것을 목격했다. 피터스 부인은 서서히 시선을 옮겨 죽은 새와 새장의 문을 번갈아 보았다. 그리고 둘은 다시 서로에게 시선을 고정했다.

그 순간 바깥 현관 손잡이가 요란한 소리를 내며 돌아가기 시작했다. 소리가 끝나기도 전에, 헤일 부인은 상자를 닫아 가장 아래쪽으로 쑤셔 넣었고 의자에 털썩 앉으며 바구니를 품에 안았다. 피터스 부인은 식탁을 붙잡고 그 옆에 섰다. 짧은 순간이 지나고, 문이 열리며 검사와 보안관이 부엌으로 들어섰다.

"그래서 부인들, 바느질일지 매듭일지 밝혀내셨나요?"

decided whether she was going to quilt it or knot it?"

"We think," began the sheriff's wife in a flurried voice, "that she was going to--knot it."

He was too preoccupied to notice the change that came in her voice on that last.

"Well, that's very interesting, I'm sure," he said tolerantly. He caught sight of the bird-cage.

"Has the bird flown?"

"We think the cat got it," said Mrs. Hale in a voice curiously even.

He was walking up and down, as if thinking something out.

"Is there a cat?" he asked absently.

Mrs. Hale shot a look up at the sheriff's wife.

"Well, not now," said Mrs. Peters. "They're superstitious, you know; they leave."

She sank into her chair.

중대한 사건에서 가볍고 일상적인 주제로 돌아오려는 것처럼, 헨더슨 검사는 가볍게 말을 걸었다.

"저희 생각엔 아마도."

대답하려는 피터스 부인의 목소리가 울렁거렸다.

"매듭으로 묶으려고 한 것 같아요."

"굉장하군요. 무척이나 흥미로운 이야기네요."

그러나 헨더슨 검사는 다른 생각을 하느라 달라진 말투를 알아채지 못했다. 그는 새로 발견한 새장을 바라보며 물었다.

"새는? 없네요?"

"고양이가 물어간 것 같아요."

대답을 하는 헤일 부인의 목소리가 이상하리만큼 차분했다. 헨더슨 검사는 무언가 생각해 내려는 듯이 왔다 갔다 걸어다니면서 건성으로 대화를 이어갔다.

"고양이가 있어요?"

그리고 답변을 종용하듯 피터스 부인을 바라보았다.

"지금은 없는 것 같아요. 이런 일이 생기면 고양이들은 다 안다니까요. 도망가 버린다고요."

The county attorney did not heed her. "No sign at all of anyone having come in from the outside," he said to Peters, in the manner of continuing an interrupted conversation. "Their own rope. Now let's go upstairs again and go over it, picee by piece. It would have to have been someone who knew just the--"

The stair door closed behind them and their voices were lost.

자리에서 일어났던 헤일 부인은 다시 의자에 주저앉았다. 검사는 그저 무신경하게 하던 말을 이어가며 위층으로 향했다.

"아무튼 밖에서 누군가가 침입한 흔적은 찾을 수 없었네요. 밧줄도 집에 있던 거고요. 일단 위층으로 올라가서 하나씩 다시 한번 살펴봅시다. 지금으로 봐서는 면식범의 소행이라는 의견이 가장 유력한 것 같은-"

검사는 보안관과 함께 위층으로 올라갔고 곧이어 계단 문이 닫히며 그들의 목소리조차 들리지 않게 되었다.

제 6 장
마음의 연대

The two women sat motionless, not looking at each other, but as if peering into something and at the same time holding back. When they spoke now it was as if they were afraid of what they were saying, but as if they could not help saying it.

"She liked the bird," said Martha Hale, low and slowly. "She was going to bury it in that pretty box."

When I was a girl," said Mrs. Peters, under her breath, "my kitten--there was a boy took a hatchet, and before my eyes--before I could get there--" She covered her face an instant. "If they hadn't held me back I would have"--she caught herself, looked upstairs where

두 여자는 꼼짝없이 앉아 있었다. 서로를 보지 않으려고 부단히 애썼고, 어떠한 진실에 다가서지 않으려고 노력했다. 동시에, 둘은 도저히 말하고 싶지 않은 진실을 말하지 않고는 도무지 참을 수 없는 것 같기도 했다.

"새를 좋아했던 거예요."

마사 헤일은 아주 느리고 낮은 목소리로 더듬거렸다.

"가장 예쁜 상자에 넣어 묻어주고 싶었던 거죠."

아주 천천히 그리고 조그맣게, 마사 헤일은 중얼댔다. 피터스 부인도 숨을 죽이고 혼잣말하듯 이야기를 시작했다.

"제가 어렸을 때요. 아기 고양이 한 마리를 키웠어요. 그런데 남자아이 하나가 도끼를 들고 오더니… 막을 틈도 없이… 제 눈앞에서……! 그때 저를 아무도 말리지 않았다면 말이죠."

footsteps were heard, and finished weakly--"hurt him."

Then they sat without speaking or moving.

"I wonder how it would seem," Mrs. Hale at last began, as if feeling her way over strange ground--"never to have had any children around?" Her eyes made a slow sweep of the kitchen, as if seeing what that kitchen had meant through all the years "No, Wright wouldn't like the bird," she said after that--"a thing that sang. She used to sing. He killed that too." Her voice tightened.

Mrs. Peters moved uneasily.

"Of course we don't know who killed the bird."

"I knew John Wright," was Mrs. Hale's answer.

"It was an awful thing was done in this house that night, Mrs. Hale," said the sheriff's wife. "Killing a man while he slept--slipping a thing round his neck that choked the life out of him."

Mrs. Hale's hand went out to the bird cage.

부인은 발소리가 들리는 위층을 바라보며 말을 맺었다.

"제가 그 아이를 많이 아프게 했을지도 모르겠어요."

소리도 움직임도 없는 정적이 흘렀다. 그리고 잠시 후 그 정적을 깨트린 것은 헤일 부인이었다. 헤일 부인의 목소리는 마치 이상한 땅을 더듬거리며 탐험하듯 조심스러웠다.

"어떤 기분일까요……? 자식이 없는 삶이란."

이런 주방에서 견뎌야 했던 그 시간을 가늠이라도 해보려는 것처럼, 헤일 부인은 부엌 구석구석을 눈으로 훑었다.

"존 라이트는 새를 좋아하지 않았을 거예요. 노래하는 작은 새라니. 미니 포스터도 노래했는데. 그가, 죽여 버렸어."

헤일 부인의 목소리가 높아지자 피터스 부인이 불안해했다.

"헤일 부인. 우리는 누가 새를 죽였는지 모르는 거예요."

"존 라이트가 어떤 사람인지 나는 잘 알아요."

"간밤에 일어난 사건은 정말 끔찍한 일이었어요. 잠들어 있는 남자의 목에 밧줄을 감아 숨통을 끊어버리다니요."

헤일 부인은 새장을 향해 손을 뻗었다.

"하지만 우리는 누가 그랬는지 알지 못하잖아요."

"We don't know who killed him," whispered Mrs. Peters wildly. "We don't know."

Mrs. Hale had not moved. "If there had been years and years of--nothing, then a bird to sing to you, it would be awful--still--after the bird was still."

It was as if something within her not herself had spoken, and it found in Mrs. Peters something she did not know as herself.

"I know what stillness is," she said, in a queer, monotonous voice. "When we homesteaded in Dakota, and my first baby died--after he was two years old--and me with no other then--"

Mrs. Hale stirred.

"How soon do you suppose they'll be through looking for the evidence?"

"I know what stillness is," repeated Mrs. Peters, in just that same way. Then she too pulled back. "The law has

피터스 부인이 단호하게 속삭였다.

"우리는 모르는 거예요."

"마음 붙일 곳 없이 수년을 그렇게 살았는데, 새가 나타나 노래를 지저귀다가, 그러다가, 갑자기 그 지저귐이 멈춘다면…… 사라진다면……."

헤일 부인은 마치 자신이 아닌 내면의 또 다른 자아가 이야기하고 있는 것처럼 말을 늘였다. 그 말은 피터스 부인이 꽁꽁 숨겨두었던 내면의 또다른 자아를 일깨우는 것 같았다.

"어떤 적막함일지 저는 알고 있어요."

이야기를 시작하는 피터스 부인의 목소리가 단조로웠다.

"다코타의 농가 주택에 살 때, 첫 아이가 죽었어요. 제 아이는 겨우 두 살이었는데……. 그 고독한 곳에서, 저와 단 둘이 있을때……."

"피터스 부인. 증거 찾기는 도대체 언제 끝이 날까요?"

"그 적막함을 저도 알고 있어요."

헤일 부인은 대화 주제를 돌리려고 애썼다. 하지만 말을 반복한 피터스 부인은 그 생각에서 벗어나려는 것처럼 한층 딱딱

got to punish crime, Mrs. Hale," she said in her tight little way.

"I wish you'd seen Minnie Foster," was the answer, "when she wore a white dress with blue ribbons, and stood up there in the choir and sang."

The picture of that girl, the fact that she had lived neighbor to that girl for twenty years, and had let her die for lack of life, was suddenly more than she could bear.

"Oh, I wish I'd come over here once in a while!" she cried. "That was a crime! Who's going to punish that?"

"We mustn't take on," said Mrs. Peters, with a frightened look toward the stairs.

"I might 'a' known she needed help! I tell you, it's queer, Mrs. Peters. We live close together, and we live far apart. We all go through the same things--it's all just a different kind of the same thing! If it weren't--why do you and I understand? Why do we know--what we know

해진 말투로 답했다.

"해일 부인. 죄를 지은 사람은 법의 심판을 받아야 해요."

"미니 포스터를 직접 보셨다면 그렇게 말하지 않으셨을 거예요. 흰 드레스에 파란 리본을 매고 무대 위에서 노래하던 그 모습을 한 번이라도 봤다면."

그 젊은 날의 모습이 머릿속에 선연했다. 이십 년 동안 이웃사촌으로 살면서도 삶을 갈망하다가 죽을 지경에 처하도록 방치했다는 사실이, 감당할 수 없는 짐이 되어 헤일 부인을 덮쳤다.

"한 번씩이라도 찾아와야 했어요. 그건 내 잘못이고 내 죄예요. 그러면 저는…… 어디에 가서 처벌을 받으면 되나요!"

"진정해요, 헤일 부인. 우리가 큰 소리를 내면 안 돼요."

피터스 부인은 겁에 질린 얼굴로 위층을 올려다보았다.

"저는 정말로 알고 있었을 거라고요! 피터스 부인. 딱 보기에도 음산한 곳이잖아요. 가까이 살든 멀리 살든 사실은 우리 모두 알고 있어요. 다들 똑같으니까. 다들 겉에선 다르게 보이지만, 결국엔 똑같은 삶을 살아가니까. 그게 아니라면 어떻게, 당

this minute?"

She dashed her hand across her eyes. Then, seeing the jar of fruit on the table she reached for it and choked out:

"If I was you I wouldn't tell her her fruit was gone! Tell her it ain't. Tell her it's all right--all of it. Here-- take this in to prove it to her! She--she may never know whether it was broke or not."

She turned away.

Mrs. Peters reached out for the bottle of fruit as if she were glad to take it--as if touching a familiar thing, having something to do, could keep her from something else. She got up, looked about for something to wrap the fruit in, took a petticoat from the pile of clothes she had brought from the front room, and nervously started winding that round the bottle.

"My!" she began, in a high, false voice, "it's a good

신과 내가 어떻게, 그 삶을 이해할 수 있었겠어요? 우리가 어떻게 지금, 이 순간에, 그 삶을 짐작할 수 있었겠어요."

헤일 부인은 촉촉해진 눈가를 훔치고는 손을 뻗어 과일 잼을 집어 들었다. 목이 메여 왔다.

"나라면 과일잼 병이 모두 깨지고 말았다는 이야기는 하지 않겠어요! 그냥 괜찮다고, 다 괜찮다고, 그렇게 말해줘요. 자, 이걸 가지고 가요. 증거로 보여줘요. 그러면, 그러면! 깨져버렸는지 아닌지 영영 모르고 지나갈 수도 있잖아요."

헤일 부인은 등을 보이고 돌아섰다.

피터스 부인은 기꺼운 표정으로 유리병을 향해 손을 뻗었다. 유리병을 집어 드는 모습이 마치 오래전에 잃어버린 친구를 되찾은 것처럼 보이기도 했고, 마침내 해야 할 일을 찾은 것 같기도 했으며, 해야만 했던 일로부터 자신을 보호해줄 무언가를 얻은 것처럼 보이기도 했다. 부인은 자리에서 일어나 병을 안전하게 감쌀 무언가를 찾아 눈으로 훑었다. 앞방에서 가져온 옷 더미 사이에 속치마가 있었다. 피터스 부인은 초조하게 속치마로 병을 감싸더니, 꾸며낸 듯한 가벼운 고음으로 외쳤다.

thing the men couldn't hear us! Getting all stirred up over a little thing like a--dead canary." She hurried over that. "As if that could have anything to do with--with-- My, wouldn't they laugh?"

Footsteps were heard on the stairs.

"Maybe they would," muttered Mrs. Hale--"maybe they wouldn't."

"No, Peters," said the county attorney incisively; "it's all perfectly clear, except the reason for doing it. But you know juries when it comes to women. If there was some definite thing--something to show. Something to make a story about. A thing that would connect up with this clumsy way of doing it."

In a covert way Mrs. Hale looked at Mrs. Peters. Mrs. Peters was looking at her. Quickly they looked away from each other. The outer door opened and Mr. Hale came in.

"I've got the team round now," he said. "Pretty cold

"우리도 참! 남자분들이 우리 이야기를 듣지 못해 얼마나 다행인지 모르겠어요. 별것도 아닌 아주 사소한 문제로 호들갑을 떨고 있으니 말이죠. 죽은 카나리아라니!"

피터스 부인은 서둘러 말을 이었다.

"이런 사소한 발견이 그런 중대한... 중대한... 사건과 관련이 있다니. 남자분들이 들으신다면 분명 비웃으실걸요."

계단을 내려오는 발소리가 점점 더 커졌다.

"그럴지도 모르죠……. 아닐수도 있고."

헤일 부인은 조그만 소리로 중얼거렸다.

곧이어 헨더슨 검사가 이야기하면서 모습을 드러냈다.

"아니죠, 피터스 보안관. 사건은 이제 완벽하게 해결되었다고 보면 됩니다. 동기만 찾으면 되는 거죠. 아시잖습니까. 피고인이 여성인 경우 배심원들이 마음 약해지는 거요. 확실한 시각적 효과를 낼 무언가를 찾아내야 해요. 이 어설픈 현장과 확실하게 연결될만한 것이면 좋겠군요."

헤일 부인은 피터스 부인을 힐끗 바라보았다. 피터스 부인은 헤일 부인을 곧장 응시하고 있었다. 둘은 황급히 시선을 거두었

out there."

"I'm going to stay here awhile by myself," the county attorney suddenly announced. "You can send Frank out for me, can't you?" he asked the sheriff. "I want to go over everything. I'm not satisfied we can't do better."

Again, for one brief moment, the two women's eyes found one another.

The sheriff came up to the table.

"Did you want to see what Mrs. Peters was going to take in?"

The county attorney picked up the apron. He laughed.

"Oh, I guess they're not very dangerous things the ladies have picked out."

Mrs. Hale's hand was on the sewing basket in which the box was concealed. She felt that she ought to take her hand off the basket. She did not seem able to. He picked up one of the quilt blocks which she had piled on

고, 그때, 현관문이 열리며 헤일 씨가 들어오며 소식을 알렸다.

"마차를 불러왔습니다. 밖이 상당히 춥습니다."

"저는 조금 더 살펴봐야겠는데요?"

헨더슨 검사는 갑자기 선언하며 피터스 보안관에게 말했다.

"나중에 프랭크를 보내줄 수 있죠? 꼼꼼하게 다시 살펴봐야겠어요. 알아낸 게 고작 이것뿐이라니, 만족스럽지 않네요."

다시 한번, 아주 짧은 순간 두 여자는 황급히 시선을 교환했다.

보안관은 식탁 앞으로 다가와 헨더슨 검사에게 물었다.

"자네 우리 안사람이 뭘 챙겼는지 확인해보겠나?"

헨더슨 검사는 피터스 부인이 챙겨놓은 앞치마를 집어 들고는 웃으며 답했다.

"글쎄요, 부인들께서 뭐 크게 중요한 물건을 고르셨을 것 같지는 않군요."

헤일 부인은 바느질 꾸러미가 들어 있는 바구니에 손을 얹고 앉아 있었다. 숨겨놓은 상자 때문인지 손이 무겁게만 느껴졌다. 검사는 바구니를 덮어둔 천 조각 하나를 집어 들었고, 헤일

to cover the box. Her eyes felt like fire. She had a feeling that if he took up the basket she would snatch it from him.

But he did not take it up. With another little laugh, he turned away, saying:

"No; Mrs. Peters doesn't need supervising. For that matter, a sheriff's wife is married to the law. Ever think of it that way, Mrs. Peters?"

Mrs. Peters was standing beside the table. Mrs. Hale shot a look up at her; but she could not see her face. Mrs. Peters had turned away. When she spoke, her voice was muffled.

"Not--just that way," she said.

"Married to the law!" chuckled Mrs. Peters' husband. He moved toward the door into the front room, and said to the county attorney:

"I just want you to come in here a minute, George. We

부인은 강렬한 눈빛으로 그를 노려보았다. 만일 그가 바구니를 가져가서 확인하려고 한다면, 확 빼앗아 저지하려고 준비하고 있었다.

하지만 그는 바구니에 손을 대지 않았고, 그저 한 번 피식 웃고는 뒤돌아섰다.

"게다가, 피터스 부인은 감시가 필요 없는 분 아닙니까? 보안관의 부인은 법과 결혼한 것과 마찬가지 아니겠어요? 어때요, 피터스 부인? 그렇게 생각해보신 적이 있나요?"

헤일 부인은 피터스 부인을 올려다보았지만, 피터스 부인은 반대쪽으로 고개를 돌리고 있었기에 표정이 보이지 않았다. 하지만 부인의 작은 중얼거림이 들려왔다.

"그렇게⋯ 생각해본 적은⋯⋯."

"당신, 법과 결혼했던 거야?"

피터스 보안관은 말을 끊으며 키득거렸다. 그리고는 헨더슨 검사를 부르며 앞방 문 쪽으로 걸어갔다.

"조지, 잠시 이리로 좀 와보게. 여기, 이쪽 창문을 좀 같이 살펴보자고."

ought to take a look at these windows."

"Oh--windows," said the county attorney scoffingly.

"We'll be right out, Mr. Hale," said the sheriff to the farmer, who was still waiting by the door.

Hale went to look after the horses. The sheriff followed the county attorney into the other room. Again--for one final moment--the two women were alone in that kitchen.

Martha Hale sprang up, her hands tight together, looking at that other woman, with whom it rested. At first she could not see her eyes, for the sheriff's wife had not turned back since she turned away at that suggestion of being married to the law. But now Mrs. Hale made her turn back. Her eyes made her turn back. Slowly, unwillingly, Mrs. Peters turned her head until her eyes met the eyes of the other woman. There was a moment when they held each other in a steady, burning look in

"아, 창문을 보시겠다고요."

피터스 보안관은 비아냥거리며 뒤를 따랐고 그 전에 루이스 헤일에게 말을 전했다.

"헤일 씨. 이것만 확인하고 바로 나가겠다고 전해주게."

피터스 보안관의 말에 문가에 서 있던 농부 헤일 씨는 말을 살피기 위해 밖으로 나갔고, 보안관과 검사는 창문을 살피기 위해 다른 방으로 향했다. 다시 한번, 어쩌면 마지막 기회로, 두 여자는 단둘이 부엌에 남았다.

마사 헤일은 자리에서 벌떡 일어나 피터스 부인의 손을 잡았다. 법과 결혼했다는 말에 피터스 부인의 고개는 여전히 반대쪽을 향하고 있었다. 하지만 헤일 부인의 존재는 피터스 부인을 돌아보게 만들었다. 그 열렬한 눈빛이 피터스 부인을 뒤돌아보게 한 것이다. 아주 천천히, 마지못하다는 듯이, 피터스 부인은 고개를 돌렸다. 서서히 고개를 돌려 마침내 헤일 부인과 눈을 마주쳤다. 한동안 두 사람은 타오르는 듯 열렬하지만 흔들리지 않는 확고한 눈빛으로 서로를 바라보았다. 주저함도 회피도 없는 눈빛이었다.

which there was no evasion or flinching.

Then Martha Hale's eyes pointed the way to the basket in which was hidden the thing that would make certain the conviction of the other woman--that woman who was not there and yet who had been there with them all through that hour.

For a moment Mrs. Peters did not move. And then she did it. With a rush forward, she threw back the quilt pieces, got the box, tried to put it in her handbag. It was too big. Desperately she opened it, started to take the bird out. But there she broke--she could not touch the bird. She stood there helpless, foolish.

There was the sound of a knob turning in the inner door. Martha Hale snatched the box from the sheriff's wife, and got it in the pocket of her big coat just as the sheriff and the county attorney came back into the kitchen.

잠시 후 마사 헤일의 시선이 옮겨갔다. 그 시선의 끝에는 증거가 숨겨진 바구니가 있었다. 이 자리에는 없었지만 사실상 계속해서 이 자리에 함께하고 있던 한 여자의 유죄를 증명할 증거가 숨겨진 바구니가.

한동안 피터스 부인은 몸이 얼어붙기라도 한 것처럼 미동 없이 서 있었다. 그러다 마침내 몸을 움직였을 때, 총알 처럼 튀어나가 바구니 안의 퀼트 조각들을 들추고 상자를 꺼내 자신의 손가방에 쑤셔 넣었다. 가방이 너무 작았다. 피터스 부인은 필사적으로 상자를 열었고 열렬한 손짓으로 새를 잡아채려고 했지만, 멈췄다. 도저히 그럴 수 없었다. 피터스 부인의 안에서 무언가가 무너져내렸다. 차마 그 새를 잡을 수가 없어서, 바보가 된 기분으로 하릴없이 멈춰 서버렸다.

그때, 문의 반대편에서 손잡이가 돌아가는 소리가 들렸다. 마사 헤일은 순간적으로 피터스 부인의 손에서 상자를 낚아채 자신의 풍덩한 코트 주머니에 쑤셔 넣었다.

"그러니까 그게 문제라는 겁니다."

간발의 차로 보안관과 검사가 부엌으로 들어왔다.

"Well, Henry," said the county attorney facetiously, "at least we found out that she was not going to quilt it. She was going to--what is it you call it, ladies?"

Mrs. Hale's hand was against the pocket of her coat.

"We call it--knot it, Mr. Henderson."

"여하튼, 그래도 참 다행이네요. 라이트 부인이 바느질을 할지 말지 만큼은 확실하게 밝혀내지 않았습니까? 그렇죠, 부인들? 그걸 부인들께서는 뭐라고 부른다고요?"

코트 주머니에 손을 넣은 채 헤일 부인이 대답했다.

"매듭이요. 우린 그걸, 매듭짓는다고 한답니다."

「월간 내로라」 시리즈는

작품 이해와 개인적 감상을 위한

덧붙임의 글을 함께 담고 있습니다.

펴낸이의 말
마음으로 연대하다.

말하지 못할 비밀이 있습니다. 나만의 불운이고 비극인 것 같아서, 내가 부족하여 이겨내지 못한 시련인 것 같아서, 그저 감추고만 있는 비밀이 누구에게나 있습니다. 하지만 꺼내어지는 순간 우리는 모두 알게 됩니다. 사실 그 비극은 한 사람에게만 쏟아지고 있는 것이 아니라, 모두의 목을 죄고 얽혀 있는 거대한 실타래였음을 말입니다. 다들 같은 마음으로 감내하며 인내하려 애쓰고 있음을 말입니다.

이 소설은 실제 사건에 기반하고 있습니다. 한밤중 남편이 처참한 모습으로 살해당했고, 같은 침대 옆자리에 있던 부인은 곤히 자느라 범인을 목격하지 못했다고 진술했습니다. 기자였던 수잔 글래스펠이 조명한 이 사건에 사람들은 집중했습니다. 자극적인 내용이나 추리적 희열 때문이 아니라, 사건을 풀어가는 과정에서 드러나는 아내의 삶이 너무나 고단하고 비극적이기 때문이었습니다.

당시 여성이란 가정의 '하찮은 일'을 도맡아 하는 사람이었고, '중대한 바깥일'은 신경 쓸 능력이 없는 사람이었습니다. 다들 그렇게 살고 있기에 당연히 그렇게 살아야 하는 줄 알았습니다. 하지만 존 호색 살인사건은 생각의 전환을 일으켰고, 수잔 글래스펠은 사건을 작품화하여 전환된 생각에 공감을 얻어냈습니다. 그렇게 서서히, 가정이라는 울타리에 갇혔던 여성들은 밖으로 나오게 될 수 있었습니다.

때문에 이 작품은 페미니즘 소설의 고전으로 일컬어지며 『여성 배심원단』이라는 원문에 충실한 제목으로 국내에 소개된 적이 있습니다. 그러나 이번에 이 작품을 새로 소개하면서,

역사 속에서 변화를 이뤄낸 주체에 집중하기보다는 변화가 일어나게 된 방식에 집중하며 읽어주시기를 바라는 마음에서 『마음의 연대』라는 제목을 붙였습니다.

당시의 여성들은 자신의 비극이 개인적인 문제라고만 생각했습니다. 하지만 한 사람의 삶이 드러나자 같은 비극을 견디며 살아가던 사람들이 목소리를 냈습니다. 결국, 개인적인 문제가 아니라 공론화해야 하는 사회적 문제였음을 깨닫게 되었습니다. 드러내고 연대하여 변화를 일으켰습니다.

세상은 그런 방법으로 변해왔습니다. 그렇게 발전을 거듭해왔습니다. 우리가 자신의 부족함이라 여기며 개인적으로 품은 문제들 역시 어쩌면 공론화시켜 해결해야 하는 사회적 문제의 실마리일지도 모릅니다.

어떤 공감은 구원이 됩니다. 공감은 연대를, 연대는 용기를, 용기는 변화를 불러오기 때문입니다. 모두 다른 삶을 살고 있지만, 결국은 같은 마음으로 견디고 있을지 모릅니다.

작품을 읽고 드러낼 용기를 얻게 되시기를 바랍니다. 나서서 공감할 용기를 얻게 되시기를 바랍니다. 자신을 부정하기 위해 서로를 부정하는 행위를 그만두고, 서로의 삶에서 자신을 찾으시길 바랍니다.

변화는 단번에 이뤄지지 않습니다. 공감도 그렇고 연대도 그렇습니다. 공감의 구원을 얻는 것은, 지속해서 비밀을 내보일 만큼 강인한 사람들만이 누릴 수 있는 소중한 보상일지도 모릅니다. 이야기 속 주인공들처럼 마음의 연대를 이뤄내시기를 바랍니다.

수잔 글래스펠

Susan Glaspell

미국의 보수적인 중부 아이오와주의 대븐포트에서 1876년 7월 1일 태어났다. 18살 무렵부터 신문기자로 활동했고 20살 무렵에는 칼럼 하나를 맡아 1년간 연재하기도 했다. 여자는 대학보다는 시집을 가는 것이 마땅하다고 생각하던 시절이었으나, 수잔 글래스펠은 21살에 드레이크 대학교(Drake University)에 입학하여 철학을 공부했고, 남학생들보다 우수한 성적을 유지하며 학교 대표로 주에서 열리는 토론대회에 나가 우승하기도 했다.

대학 졸업 후 정식 저널리스트로 활동했다. 당시 여성으로서는 얻어내기 힘든 자리였다. 학대하는 남편을 살해한 혐의로 기소된 여성의 사건을 이어서 보도했고, 판결 이후 돌연 저널리스트 자리를 내려놓는다. 대신 신문사와 잡지사에 단편소설을

투고하여 상금으로 생계를 유지했다.

고향인 중부를 배경으로 하는 소설을 썼고, 공감을 불러일으키는 입체적인 주인공들을 내세워 성별과 윤리 등의 사회적 문제를 깊이 탐구하는 서사로 인기를 끌었다.

시카고 대학원을 졸업했고, 유부남인 조지 크램 쿡(George Cram Cook)과 사랑에 빠졌다. 쿡은 첫 번째 결혼에 실패한 뒤 두 번째 아내와 불행한 결혼 생활을 이어가고 있었는데, 글래스펠과 결혼하기 위해 두 번째 이혼을 감행한다. 결혼 후 둘은 가십을 피하고자 아이오와를 떠나 프로빈스타운에 정착한다.

쿡과 글래스펠은 브로드웨이의 시초가 된 미국 최초의 극단 프로빈스타운 플레이어즈(Provincetown Players)를 창단한다. 이는 지금까지도 미국 연극 역사상 가장 중요한 순간으로 거론되는데, 실험적인 아마추어 극단이라는 정체성을 가지고 글래스펠은 기획자로, 작가로, 감독으로, 그리고 배우로도 왕성하게 활동한다. 뿐만 아니라 극작가 유진 오닐(Eugene O'Neil)을 발굴하여 그의 극본을 기반으로 한 연극을 여러 편 발표한다.

프로빈스타운 플레이어즈는 2년 뒤 다운타운 뉴욕의 그리니치 빌리지로 자리를 옮긴다. 그 이후 더 많은 사람의 사랑과 관심을 받았고, 경쟁 극단을 모이게 하며 초기 브로드웨이를 형성한다. 특히 크램 쿡이 1920년 기획한 「황제 존스(The Emperor Jones)」가 하루 만에 대박이 터지며 연극을 보기 위해 미국 전 지역에서 사람들이 몰려들었다. 이 연극은 무려 200회나 이어졌다.

극단은 전문성을 인정받고 상업적으로 성공하기에 이른다. 하지만 쿡과 글래스펠은 실험정신을 가장 중요한 정체성으로 생각했기에 돌연 운영을 중단하고 그리스로 떠난다. 그리스에서 크램 쿡은 질병으로 사망하고, 글래스펠은 홀로 다시 프로빈스타운으로 돌아와 작품 활동에 전념한다. 잠깐의 슬럼프가 있었지만 이후 출간한 장편 소설이 모두 베스트 셀러에 올랐고 1930년 집필된 극본 『앨리슨의 집』은 퓰리처를 수상했다.

1948년 7월 27일, 바이러스성 폐렴으로 글래스펠이 작고하자 뉴욕타임즈(New York Times) 는 부고에 미국 사람들이 가장 많이 읽던 소설가 한 명이었다고 적었다.

존 호색
살인사건

아이오와주의 고요한 시골 마을이 충격에 휩싸였다. 마을의 부유한 농부 존 호색(John Hossack)이 처참한 모습으로 살해당한 채 발견된 것이다. 발견 당시 도끼로 두 차례 강타당한 상흔 사이로는 뇌가 흘러내리고 있었다. 1900년 12월 1일에서 2일로 넘어가는 새벽의 일이었다.

사흘 뒤, 존 호색의 장례식에서 그의 아내 마가렛 호색(Margaret Hossack)이 체포되었다. 사건 당시 마가렛은 존과 같은 침대 바로 옆자리에서 자고 있었지만, 범인을 보지 못했다고 진술했다. 도끼로 성인 남성의 머리를 두 차례 강타하는 동안 잠에서 깨지 않았으나, 범인이 방을 나서며 문을 닫는 소리에는 깼다는 그 말을 배심원들은 믿을 수 없었다.

마을 사람들은 존 호색이 평소 가족들에게 폭력적인 아버

지였다고 증언했고, 마가렛이 남편의 폭력으로부터 아이들과 자신이 안전하지 않다는 불안감에 시달려왔다고 말했다. 호색 부부에게는 열 명의 아이들이 있었고, 그중 막내는 마가렛 호색이 마흔 살에 낳은 아이였다. 이러한 점들은 충분한 살인 동기로 여겨져 사건 수사는 첫날부터 마가렛 호색을 범인으로 확신한 채로 진행되었다.

여성 저널리스트 수잔 글래스펠은 이 이야기를 집중적으로 보도했다. 마가렛 호색의 침착한 변론과 자녀들의 무한한 지지는 신문을 타고 미국 전역으로 퍼져나갔다. 그리고 보도를 읽는 사람들은 사건뿐만 아니라 그 과정에서 드러나는 마가렛의 지난 삶에도 집중했다. 농부의 아내로서 견뎌야만 했던 폐쇄적이고 고단한 삶에 사람들은 공감하고 함께 아파했다.

1901년 4월 11일, 첫 번째 재판이 열렸다. 전원 남자로 구성된 12명의 배심원 중 10명 이상이 같은 판결을 내야 실형이 선고되는데, 12명 모두 마가렛에게 유죄판결을 내렸다. 마가렛은 여기서 종신형을 선고받았다. 하지만 이 판결은 1년 뒤 매디슨 카운티에서 열린 두 번째 재판에서 뒤집혔다. 12명의 배심원 중 9명만이 유죄 판결을 내린 것이다.

마가렛 호색이 풀려난 이후 사건은 종결되었다. 그 누구도 범인으로 지목되거나 기소되지 않았기에 세 번째 재판은 열리지 않았다. 마가렛 호색 역시 두 번째 재판 이후 사건에 대하여 일절 언급하지 않았기에 그날의 진상은 여전히 밝혀지지 않은 채로 남았다.

당시 이야기를 보도했던 저널리스트 수잔 글래스펠은 『사소한 것들(Trifles)』이라는 단막극과 『마음의 연대(Jury of Her Peers)』라는 단편소설을 통해 법의 보호를 받지 못했던 당시 여성들의 현실을 드러냈다. 그 이후 페트리샤 브라이언(Patricial Bryan)과 토마스 울프(Thomas Wolf)는 이 사건을 십 년간 추적하여 19세기 농부 아내들의 고단한 삶을 집중적으로 조명한 『미드나잇 어세신(Midnight Assasin)』이라는 소설을 출간하기도 했다.

월간 내로라 시리즈

한 달에 한 편. 영문 고전을 번역하여 담은 단편 소설 시리즈입니다.
짧지만 강렬한 이야기로 독서와 생각, 토론이 풍성해지기를 바랍니다.

마음의 연대

지은이 수잔 글래스펠

옮긴이 차영지   **디자인 감독** 정지은

그린이 정지은   **번역문 감수** 박서교 강연지

펴낸이 차영지   **우리말 감수** 신윤옥 박병진

초판 1쇄 2021년 11월 01일

내로라한 주식회사
내로라 출판사

출판등록 2019년 03월 06일 [제2019-000026호]

주   소 서울시 마포구 양화로 81, 4층 412호

이 메 일 naerorahan@naver.com

홈페이지 www.naerora.com

인 스 타 @naerorabooks

ISBN: 979-11-973324-6-3